目次

三浦雄一郎さん南米最高峰登頂を断念

三浦雄一郎さんはプロスキーヤーで、過去の世界的記録を列記すると、

昭和四一年　富士山を直滑降
〃　〃　オーストラリア大陸最高峰コジオスコ（二二二八メートル）を登頂、滑降
〃　四二年　北米大陸最高峰デナリのマッキンリー（六一九四メートル）を滑降
〃　四五年　世界最高峰エベレストのサウスコル（八〇〇〇メートル）から滑降
〃　五六年　アフリカ大陸最高峰キリマンジャロ（五八九五メートル）登頂、滑降
〃　五八年　南極大陸最高峰マウント・ビンソン（四八九二メートル）登頂、滑降
〃　六〇年　ヨーロッパ大陸最高峰エルブルース（五六七一メートル）登頂、滑降
〃　〃　南米最高峰アコンカグワ（六九六〇メートル）登頂、滑降
平成一五年　七〇歳、二〇年七五歳、二五年八〇歳と続けて三回エベレスト登頂

平成三一年一月二日に三浦さんはアルゼンチンとチリ国境にある最高峰アコンカグワ（三三年前に登頂）に八六歳で再挑戦。羽田空港を出発し、アルゼンチン・メンドサに到着。四日にアコンカグアの登山許可を得て、高度に体を慣らすため、標高一九〇〇メートルのウスパジャータに入ってトレーニング。

一〇日に標高四二〇〇メートルのベースキャンプ入り。そこから氷河の状態が不安定で登山に適さないと判断し、標高五三七〇メートルの峠までヘリコプターで一八日に到着。

三浦さんが挑む頂上の酸素は地上の約四割、脱水症状の恐れもあり、遠征隊員七人と同行のアルゼンチン現地ガイド四人は、日本から持参した自動対外式除細動器（ＡＥＤ）の使い方を確認したり、心臓マッサージの練習、担架を使った搬送の訓練をして登山に備えた。

国際山岳医・大城和恵さん（札幌西区の大野病院勤務は、三浦さんが八〇歳のエベレスト登山の際に、チームドクターとして第三キャンプ（七〇〇〇メートル）まで同行）は、血圧測定など健康状態を常にチェックしていた。

二〇日は山頂付近は風速二〇メートルの強風なので滞在。この日、大城医師は高所での長期滞在で、肉体的な負担から心不全を起こす危険があると判断し、下山を要請された。遠征隊副隊長の次男・三浦豪太氏（四九歳）は隊員四人と共に、二二日に雄一郎氏の念願である登頂を果たした。

二三日に登山口に帰着、現地ガイドらと名物のワインや肉などを堪能。翌日、帰国の途につき二六日に成田空港着。到着ロビーで報道陣から「次の挑戦は」と問われ、「九〇歳でエベレストにチャレンジしたい」と語られた。

このチャレンジ精神は父の三浦敬三氏から受け継がれた。青森県生まれの父は北海道大学卒業後、青森営林局に勤務。八甲田山や山形県の蔵王などにスキーで滑り続け、日本の山岳スキーの先駆者である。八〇代で欧州のアルプス山脈をスキーで走破。九九歳でフランスとイタリアの境、アルプスの最高峰モンブラン（四八〇七メートル）の氷河を滑走された。

長野県聖高原の三峯山に登る

三峯とは私の俳号である。丸善㈱札幌支店に入社し社内報などの編集を担当。東京本社の先輩に千峯と称する俳人が居られ、私もなぞってペンネームを三峯とした。

三峰山は全国に一八座、三峯山は二座ある。和歌山県と大阪府の境に三峯山（五七六㍍）があるので、平成三〇年九月二七日から二九日に、関西空港経由で登ろうと旅行業者に予約しておいたが、残念ながら九月四日から五日にかけて台風二一号が北上し、関西空港の連絡橋はタンカー衝突で破損し全面閉鎖。そこでキャンセルして、松本空港経由で長野県北部の麻績《おみ》村にある山に変更した。

ガイドブックには「みつみねさん　三峯山標高一一三一㍍長野県千曲市と東筑摩郡麻績村の境。聖高原東部にある安山岩質の古い火山。東面に大規模な山体崩壊跡があり「田毎の月」の景勝に続く。西・南面はスキー場や別荘地、東はゴルフ場として開発」とある。

一〇月二九日に新千歳空港から信州松本空港へ、松本市のホテルに宿泊し、翌日ＪＲ篠ノ井線に乗車し麻績駅で下車。駅前には多くの石碑があり、松尾芭蕉の句碑

さざれ蟹足這ひのぼる清水かな

があった。かつて麻績村は、善光寺参りや伊勢参りの旅人で賑わう宿場町で、町並みは今も往

時の古い面影が残っている。

今日は月曜なので聖高原へのバスは運休、止むなくタクシーで聖湖へ。森の中にぽっかりと青空を讃えるような異国情緒な湖。天然の湖でボート遊びや釣りをしている。三峯山は聖高原スキー場にあるので、その登山口へ行くと、車の入場は禁止されていたので、そこで下車。

登山口は標高九七〇㍍、頂上へは高度差一六一㍍登らなくてはならない。スキー登山者用にケーブルカーが敷設されていて、無雪期は運休。なだらかなスキー場は草刈りがなされ、作業員三人が草刈り機の整備をしていた。

そこで入山許可を得て、頂上へのルートを尋ねると、どこからでも登れるが、なだらかな傾斜地に添って、気儘に登った方が楽ですと指示され、下山は山林の中の道を辿って湖畔に出たほうが近いです。また、三峯山の名称は、尾根上に峰が三っあるので付けられたと教わった。

九時にストックを突きながらヨタヨタ歩きで出発。草刈り跡は黄色く色付き、ゆるやかな斜面を、大きく迂回しながら三〇分を要して大きな展望台のある頂上に到着。そこは冬季間オープンする大部屋で、全面が窓ガラスで覆われ眺めは抜群。男女別トイレも整備されていた。

地面に枕木状の木製標識が白く塗られ、黒字で「聖山高原県立公園　三峯山　一一三一㍍」と書かれていた。その横に半径一㍍ほどの石造り円形方位盤があり、北に妙高山、戸隠山。西に聖山、北穂高岳。南に八ヶ岳、蓼科山。東に四阿山、白根山などが刻まれ、見渡す限り紅葉した名山が連立して絶景である。

下山は教えられた通り、樹林帯の道を辿り聖湖畔に九時五〇分に到着した。

伝説の山　姨捨山を眺めて

平成三〇年一〇月三〇日は快晴に恵まれ午前中に目標の三峯山に登頂。南方に冠着《かむりき》山、一二五二メートルが聳え、国土地理院の地形図に（姨捨山）と付記されている。

気掛かりなので篠ノ井線に乗車し、姨捨駅で下車。駅内に姨捨山伝説の説明板が掲げられていた。「都から遠く離れた山里は、豊かな美しい村でした…昔、その園は全てが貧しく、口減らしの為、年老いた者は、〝山に捨てる〟掟になっていたのです。年寄りの大嫌いな殿様が、〝六〇歳になった年寄りは山に捨てること〟というおふれを出しました……」と書かれていた。職員に「どこから姨捨山に登るのですか」と聞くと、次の冠着駅からだと教えられた。二時間後の列車に乗車し、トンネルを潜り抜けた山間の駅で下車。

冠着駅には女性職員が一人。姨捨山のコースを尋ねると、一緒に外に出て「前方の車道に指導標があり、峠に向かうと山麓に登山道があります。高齢の方ですから五時間以上は掛かるでしょう」と云われた。次の松本行列車は一五時四七分なので、それまでに戻りますと言って歩き始めたが、山麓に近づくにつれ山は見えなくなるので、戻ることにした。

頂戴した冠着駅パンフレットに、興味ある部分があるので、抜粋しよう。

■棄老伝説＝一般に姥捨山（母の姉妹）を捨てた山と解されているが、日本にはいまだかつて老人を捨てた風習はなかった。

平安時代前期に書かれた歌物語の『大和物語』は説話一七〇余編を収録しており、その代表的な話として姥捨山を「我が心慰めかねつ……」の歌で紹介している。

これは、宇多法王（八六七～九三一）の周辺や藤原定方らが宮廷の女官たちと実話や創作話を集めて『大和物語』を作った際、仏教とともに入ってきたインドの棄老伝説が利用されたとみられている。

現在、民俗学上は、墓地を意味する「おはつせ」（小長谷）が訛り、姥捨・姥棄と当て字されたことを、隠居や厄年、葬式などの習俗がここに反映したとされる。
■冠着山安養寺＝冠着山、一名姥捨山は、坂井村と上山田町、戸倉町にまたがる標高一二五二・二㍍の烏帽子型の山で、善光寺を一望にする山頂の眺望は見事である。月の名所としても古くから知られ、山腹の田毎の月や、里から眺める山に昇る月は、昔から歌人たちに親しまれてきた。
冠着山は古来、水分けの神と月神の信仰を持つ霊山で、冠着山安養寺が建てられている。

冠着駅に近い里寺は、平安時代初期の貞観八（八六六）年に信濃国で定額寺として指定された五寺の一つで、国分寺に準ずる古刹である。山頂付近の坊の平には中の院、頂上には奥の院があって、一山大いに栄えたという。

毎年中秋の名月の夜は、安養寺の住職を先達に、登拝と頂上での月見の宴が催される。安養寺境内にある大型の石造五輪の塔二基は鎌倉時代のものとされ、坂井村の文化財に指定されている。

羊蹄山の伝説は青森県にも存在していた

渡島半島基部に聳える羊蹄山（一八九三メートル）は蝦夷富士、後方羊蹄山《シリベシヤマ》とも呼ばれていた。阿部比羅夫の遠征が登場する『日本書紀』によると、斉明天皇四年、六五八年四月、一八〇艘を率いて齶田（秋田）渟代（能登）二郡の蝦夷を降し、船を齶田浦に連ね、渟代・津軽の二郡の郡領を定め、さらに有間浜に渡嶋の蝦夷を召し饗して帰した。同年、比羅夫は粛真《しゆくしん》を打ち、生熊二頭、熊皮七〇枚を献上した。

六五九年三月、一八〇艘を率いて遠征、飽田（秋田）・渟代・津軽・胆振《いぶりさえ》の蝦夷を集めて饗をおこない、禄を賜った。その後、肉入篭《ししりこ》に至り、問菟《という》の蝦夷の後方羊蹄《しりべし》を政所とすべしという進言をいれて、郡領を置いて帰った。六六〇年三月、二〇〇艘を率いて大河の側に至ったとある。

この記事については古くから疑問視されていた。一度の遠征を三度に分けて記載したとする説。六五八年と六六〇年の二度とみる説。『書紀』に記載どおり三度とする説があるが、いずれも決め手がない。また、後方羊蹄を北海道とする説も十分な検証がなされていなかった。

青森県の後方羊蹄郷土史研究会が昭和五四年六月発行の『尻八城址由来について』によると、六五八年の比羅夫の討伐軍は裏日本の沿海を北上し、飽田・渟代・津軽の蝦夷を次々と平定し、渟代・津軽の二郡に郡領をおいて都に帰った。

六五九年の遠征は、外が浜のシリベツ（後潟）に蝦夷の大首魁が居るので討伐で北上。しりべし（後潟）の沖合に軍船を停泊して上陸を開始。蒐間のチャシ（尻八城）と海岸との中間にある蝦夷の産土神を祀る山神古宮に本陣を構え、蒐間のチャシのエガシマ、ウポナの蝦夷の首魁の討伐に向かった。エガシマ等は討伐軍に恐れをなして戦わずして降伏したと云う。

　現在の地形図には、大倉山（六七七メートル）へは蓬田村から阿弥陀川沿いに登山道がある。また青森市後潟には伝尻八館跡、尻八城址自然歩道、そして大倉岳一帯を「後方羊蹄」と称している。吉田東伍著『大日本地名辞書』第七巻奥羽（明治三九年刊）によると、後潟を次のように解説している。

「建武二年（一三三五）文書に潮方（うしほかた）といふは是なり、俗説、シリベの尻もこれには路頭を免れず。小山内氏津軽考云、後方羊蹄は松前渡島の地にあらず。外浜後方村、昔シリベ村と云し由、古記にも見えれば、是れシ言を略して云しもの歟、後世、其を文字の儘によみてうしろがたと唱しものなるべし、元正紀渡島津軽津司云々、松前津軽の海上、波是の往来渡津の事を司るものを置かれし見ゆ、これにても、比羅夫の政所を屋しは、後方村の地なる思ふべく、津軽の名も昔より海津の要地なるを以ての名なるを知るべし」と記載されている。

北海道背稜踏破の先駆者たち

北海道最北端の宗谷岬から、背骨の稜線は宗谷丘陵には丸山、エタンパック山など。天塩山地にはペンケ山、函岳、天塩岳など。石狩山地として石狩岳、トムラウシ山など。十勝火山群として十勝岳、下ホロカメトック山など。日高山脈は芽室岳、幌尻岳、ペテガリ岳、楽古岳などがあって最南端は襟裳岬である。距離にして約六七〇㌔だが何回も登下降を繰り返すので、相当な距離が加算される。

現在までに踏破した偉大な登山者は七名だが、それぞれの足跡は大変興味深い。今後も背稜縦走者が続出することを期待して紹介することにする。

一番目は工藤栄一氏、昭和二七年小樽市生まれ。東京都立大学夜間部に入学し峰稜会に所属し登山に励む。五二年七月に遠音別岳から知床岬まで単独縦走。背稜縦走は五〇年三月から一七年間、一五回に分け、延べ一三〇日を費やして平成四年二月に宗谷岬に到着した。

二番目は志水哲也氏、昭和四〇年横浜生まれ。高校時代から登山を始め、単独行を中心に実践。五六年冬に知床半島全山縦走。北海道の背稜縦走を冬期シーズンにスキーで挑む。平成五年一二月一八日に襟裳岬を出発、一五回に分割し、北見山地のパンケ山からは、残念ながら雪解けで宗谷丘陵は断念せざるを得なかった。パンケ山からオホーツク海岸の浜頓別に下って、海岸沿いに宗谷岬に六ヵ月間かけて翌年の五月二四日に到着した。

三番目は千葉芳弘氏、昭和一六年生まれ。平成七年二月一〇日に宗谷岬を出発、二一回の挑戦で平成一五年二月二五日に襟裳岬に到着した。

四番目は金沢友幹氏、昭和四六年札幌生まれ。北海学園大学に平成三年に入学、北海学友会に所属し登山に励む。卒業し稚内に就職して険しい山稜が続く日高山脈全山縦走を目差し一四年に達成。次の目標を襟裳岬から宗谷岬の背稜線の踏査と決めて挑み続け、二〇年一一月二三日に宗谷岬に到着した。

五番目は岩下治幸氏、六五歳　札幌市、昭和五二年頃、日高山脈のカムイエクウチカウシ山周辺を縦走したことがきっかけで、昭和末期から本格的に日高山脈から大雪山系を経由して北上し、北海道の背骨縦走を目指す。平成二二年に定年退職し宗谷丘陵を踏破、翌二三年五月八日に宗谷岬に到着した。

六番目は児玉保則氏、昭和二九年猿払村生まれ。五一年に北海学園大学二部に入学、北海学友会に所属。卒業後は国税局や各地の税務署に勤務。襟裳岬から宗谷岬までの踏査は平成三年六月から二四年三月にかけて、五九回挑んで達成。

七番目は新妻徹氏、昭和六年札幌生まれ。北海道大学に入学し北大山岳部に所属。名寄農業高校の教員となり名寄山岳会を結成し、三五年一月の厳冬期に天塩岳からウエンシリ岳を初縦走するなど多くの記録を樹立。

生涯のライフワークとして、昭和五三年一二月二八日に宗谷岬を出発し南下。襟裳岬に到着したのは平成二六年四月一八日であった。

追憶の松浦岳登山

大雪山系の松浦岳（二〇一九・九メートル）に初めて登ったのは昭和四一年九月一六日。一行は勤務先の丸善㈱札幌支店の山仲間四人、夜行列車で上川駅、そして層雲峡で仮泊。

当日は朝日に映える新雪の山を仰ぎ、一面の紅葉に歓喜しながら大函、小函を辿る。舗装された大雪国道と別れヤンベタップ川の道筋を行く。目指す松浦岳や高根ヶ原も新雪を冠し一段と崇高さを増している。

造材飯場跡に大雪高原温泉が建てられ、ホテル所属のヒュッテに今夜の宿泊を申し込み、朝食もそこそこに登山を開始。しばらくは沢添いの泥濘を伝って進む。急な登りに一汗かきながら一五〇〇メートルの台地に出ると、眼前に大きく松浦岳が立ちはだかる。紅葉の樹林帯から白く抜きん出た光景にしばし心を奪われる。来年はもっと多くの人達で来ようと、話し合っているうちに、湿地帯に出て更に展望は拡がる。

この辺りから積雪を踏んで歩く。さしづめお花畑と称される所なのであろう、恰好な花園が続いていて、痛ましくも遅咲きの花弁が積雪でうなだれている。エゾコザクラ、ウサギギク、アツモリソウなどが見られ、開花期はさぞかし絢爛であろう。足下の急な斜面に沿って、万年雪が目も眩むほど落ち込んでいる。山相は累々たる岩石に変わり、吹き溜まりに足首まで奪われる。尾根筋には雪庇も突出していた。

阿寒岳や斜里岳が見えているのに、雲行が次第に怪しくなり残念である。六〇〇メートルばかりの急な登りを、石を伝いながらジグザクに登る。遂に雨ならぬ吹雪に見舞われる。天候の回復を望みながら頂上に向かうと、四人連れのパーティと行き交う。頂上に近づくと皆のピッチが早まる。

凍りついた三角点が現れ頂上である。標識には松浦岳と書かれていた（現在の地形図には緑岳〈松浦岳〉となっている）。ここから小泉岳や白雲岳へは緩やかな稜線を辿るだけである。白雲小屋が間近く見えたので、天候の回復を小屋で待とうと進んだが、長居しては夕刻の帰路は、かえって大変なので途中で引き返した。

吹雪に追われながら湿地帯に下ると、雪は雨に変わり、靴の中もずぶ濡れになる。この雨を突いて登る女子のグループと行き交う。ずぶ濡れ姿では間もなく引き返すことであろう。

山小屋に着いたのは一四時過ぎで、湯につかり炊事の雑事もほどほどに、昨夜来の寝不足と酔い加減で一八時には正体を失っていた。

山間の朝は早い。頂をバラ色に染めながらやってくる。立ち込める湯煙りも紅葉に染まり、そして紺碧の空に消えてゆく。鳥の囀りも聞こえぬ静かな朝である。

早々に小屋を出立し、泥流を高根ケ原に向かう。ヤンベタップ沢沿いに沼が在り、散策コースである。噴煙を噴出している湿地帯も二カ所在り、山岳展望も石狩岳や平ケ岳が間近く、これからは観光客も日を追って増えてゆくであろう。

大雪山系に聳える桂月岳について

大町桂月は大正一〇年（当時は五三歳）に、霊山渓だった渓谷の宿で泊まり、ここを層雲峡と命名した。翌朝、和服姿で草鞋ばき、荷を背負って杖をつき、まだ登山道とてなかった黒岳沢から黒岳に登り、西方に聳える一九三八㍍の無名峰を桂月岳と名付け、北鎮岳、旭岳を踏破して松山温泉に下った。

桂月没後、大雪山調査会から大正一五年七月に小泉秀雄著『大雪山登山法及登山案内』が出版され、第二章「大雪山登山案内」に八案として「雲ノ平石室早朝発―桂月岳―凌雲岳―北鎮岳……」と記している。

著作『北海道山水の大観』では、大雪山、層雲峡、阿寒嶽、登別温泉、蝦夷富士、大沼公園、猿間湖、野付半島を北海道の八大勝景地として発表。『層雲峡より大雪山』の書き出しは、「富士山に登って、山の高さを語れ。大雪山に登って、山岳の大きさを語れ」と記している。

大町桂月は明治二年一月二四日、高知城下北門脇八番屋敷で、土佐山内藩の御馬回一五〇石の武士だった、通の三男として生まれ、名は芳衛、別号に秋剣・桂月漁郎・春風居などがある。明治義塾を経て第一高等中学校へ入学。杉浦重剛の称好塾に入り、巌谷小波、与謝野鉄幹らを知る。

明治二六年に帝国大学文科に入学、佐々醒雪、北島羽衣、高山樗牛らは同窓の友。在学中に樗牛らと『帝国文学』を創刊し編集委員となり、美文・評論などを執筆。卒業後は詩華集『華紅葉』『黄菊白菊』などを出版。

明治三二年、借金で苦しんでいた叔父の苦境を救うために、出雲の簸川中学校教諭に赴任。翌年夏、博文館の切なる招きに応じて入社し、同館発行の『太陽』『文芸倶楽部』などに勢力的に執筆された。

晩年は執筆行脚に終始、日本全国、朝鮮、中国東北地方などを巡遊し、各地の名勝、旧跡などを世に紹介。大正一四年六月一〇日に青森県十和田湖畔蔦温泉で没し五七歳だった。

四国の高知県立坂本龍馬記念館から季刊誌『飛騰』（ひとう）が刊行され、第一〇四号（平成三〇年一月）に「終生酒と旅を愛した人・大町桂月記念碑」として掲載、興味深いので概略紹介させて頂きます。

坂本龍馬記念館近くの桂浜に「大町桂月記念碑」が昭和四年に建立され、側面に和歌が刻まれている。／**みよや見よみな月のみのかつら浜　海のおもよりいづる月かげ**／大正七年に三八年ぶりに故郷の土を踏んだ桂月が、愛弟子と桂浜で遊んだ折の和歌で、久しぶりに見た美しい景色を詠まれた。

終生酒と旅を愛し、酒仙とも山水開眼の士とも称された。全国を旅して紀行文を残しているが、北海道に大正一〇、一一年と続けて訪れ、蝦夷地開拓を目指した坂本龍馬とも少し通じるものがある。また、大雪山北麓石狩川上流部にある有名な「層雲峡」は、桂月が命名したもので、かつてはアイヌ語で「ソ・ウン・ペッ」（滝のある川）と呼んでいた。それを桂月が大正一〇年に訪れた際に、当て字で名付けたものである。

室蘭市の母恋富士・標高一五六㍍に登る

日本列島には富士山のような成層火山が多く、別称で「ふるさと富士」と呼ばれている山は全国に三七二座、北海道には一九座ある。例えば羊蹄山は蝦夷富士、利尻山は利尻富士と呼ばれ、室蘭市の母恋富士はその中で一番低い山である。

国土地理院へ令和元年八月二八日に訪れ「母恋富士・四等三角点の記」を二百円で購入してきた。測量年は平成一七年九月六日、行程は室蘭市立母恋小学校より東約八百㍍の海の見える森公園入口から約五分とあった。

それを頼りに九月五日、札幌発七時発の特急列車に乗車、東室蘭駅で乗換え八時五一分に母恋駅で下車。駅からタクシーで山に向かうと人家が立ち並ぶ。そこに「ふるさとの森　母恋北町入口」の立て看板があり、山に向かって笹藪が切り開かれた道があったので、タクシー代五五〇円を支払って下車、九時一五分に歩き出す。

少し行くと木柱の案内板に、いこいの森八八㍍、港の見える森九〇㍍、元気もりもり五七〇㍍、学びの森一〇〇〇㍍と記されていた。やがて母恋南町入口の標識があり、登山者が一人登って来るのに出会う。苔蒸した登山道も急になると木製階段を敷設、そしてザイルを手繰って登れるようになっていた。藪蚊の猛攻撃を受け、防除網を持参しなかったのが悔やまれる。半袖なので吸われた跡は赤々と肌が腫れている。少し行くと標高一〇四㍍の港の見える広場、掘っ建て小屋とベンチが在り、対峙する測量山は街を挟んで聳え素晴らしい景色だった。

また少し登ると標高一一四㍍の港の見える森、そこに古い石像と並んで四等三角点「母恋富士」が設置され、有珠山は良く眺められた。そこにマメ科の西洋ミヤコグサの説明板が在ったが。花期は6～7月なので見い出されなかった。

母恋富士山頂　標高一五六㍍に到着したのは九時五五分だった。樹木が覆い眺望は無かったのが残念だった。すぐ下山にかかり、母恋北町入口に到着したのは一〇時二〇分であった。そこから眼下の街は近いので歩いて下った。途中に「天然記念物指定　塩竃櫻」の標識があり、見頃は五月頃で約百本の桜のトンネルが続き観光名所となっていた。

下山後、母恋の名称が気掛かりだったので、市立室蘭図書館へ行って調べてみた。昭和一五年頃に札幌鉄道局から『駅名の起源』が出版され、母恋駅は昭和一〇年一二月二九日に開駅、母恋はアイヌ語の「ポコイ」で、意味は「蔭になる処」、町全体が沢であったと記されていた。昭和四八年五月発行の郷土史双書二号『むろらん　ふるさと百話』には、アイヌ語ポコイ。pok＝下、しも、女陰、ウバ貝。u＝群生する。i＝所。の意味で「ホッキ貝が群生する所」として伝えている。

母恋富士は明治四〇年頃に日本製銅所が操業、そこに全国から従業員が集結。それぞれの故郷に富士山を讃えた山名があり、故郷を偲んで「母恋富士」と命名された。

回想の八剣山

札幌から定山渓に向かうと、簾舞辺りから恐竜の背のように聳える岩峰が迫ってくる。地形図では観音岩山（八剣山）四九八メートルなのだが、山名の由来は、四国からの入植者が故郷の山を懐かしんで「五剣山」と命名した。

その後、大正期には場所によって、七峰にも見えるので「七剣山」とも呼ばれていた。登山コースは南口、中央口、西口の三ルートがあり、どれも約五〇分で登れるので人気があり、岩峰に立てば眺めは抜群である。

この八剣山で初めて岩登りが試みられたのは、大正九年一〇月で北大の板倉勝宣ら四名であった。翌年、北大予科桜星会旅行部が創立し、八剣山で岩登り技術を取得していた。

大正一四年五月一七日に北大の伊藤秀五郎ら四名が、北西端の岩峰から取り付き、全岩稜を踏破し、最西端へ下った。

私はこの記録に魅せられ、昭和四九年一二月に札幌山の会メンバー五人で、東稜から稜線に取り付き、頂上近くでロープで結び合って登攀訓練。二年後の一一月二三日に再度、同メンバーで最東端から頂上に達し、雪に覆われた稜線を伝って西登山口に下り、西峰第一峰に登って帰途についた。

更に一二月五日に三名のメンバーで、最西端から第一峰、第二峰を乗越し、第三峰の手前鞍部まで達したが、吹雪に見舞われ懸垂下降で南壁を下った。第三峰は心残りとなり、いつかは登ろうと決めていた。

平成九年三月二五日、残雪期に何とか北壁を直登しようと、札幌山の会・三和裕倍（海外登山や層雲峡の四氷瀑初登攀者）にお願いし、念願の第三峰に引っ張り上げてもらおうとお願いし出発した。

西登山口から北側に回り込む。早朝なので雪面は固く締まり、靴のままでも歩き易い。第三峰直下から北壁に向かうが、このところ暖かい日が続き、日陰の樹林帯は夜中でも暖かく、雪は凍らず軟らかなので、雪を踏み固めながら登った。

高度四〇〇メートル辺りから傾斜が急になり、矮小な灌木は僅か雪を覆っているだけ。岩に雪が付着している壁面は、太陽の輻射熱で空洞となり、どこまでもズブ、ズブと埋まる。灌木に縋りながら、唯ひたすらに足場を求め、高みへと登って行く。

岩峰まであと五〇メートル。岩肌が剥き出す岩稜なので、アイゼンとザイルの装備を整える。三和は積もった雪塊を蹴落としながら登り始め、雪は急斜面を勢いよく落下していく。あと三〇メートル。垂直に近い岩壁は、脆い岩層が混じっていて、今にも崩れそうである。

午前一〇時、気温も暖かくなり、僅か岩の隙間に付着している雪も融け、浮き石だらけで手や足で体を保持することも出来ず、ここで断念せざるを得なかった。

下りはザイルを使ってすぐに樹林帯へ、そこから岩溝状の細い沢を下る。雪崩の落下地帯で雪は固く圧縮し、アイゼンの爪はよく突き刺さり、一気に平坦な登山路に辿り着いた。

帰途、見上げる岩峰は峨々と聳え、鋭く尖った第三峰はまたも登れず無念だった。

札幌市の三角山名称の変遷

三角山は全国に三四座ある。札幌市の三角山は一等三角点で標高三一一メートル。古くから様々な名称で呼ばれていた。

箱館奉行村垣淡路守は、安政四（一八五七）年の筆録によると「サッポロ、アツサツ山麓迄見渡ヨシ」と記され、サッポロ山が現在の藻岩山、アツサツ山は現在の三角山を指していたようである。

幕末の探検家松浦武四郎が、安政六年に刊行した『後方羊蹄日誌』によると「過てケネウシヘ小川チフトラシ小川過てハッシャム、土人は本名ハシャムと云、櫻鳥の如き鳥多きより號るとかや」と記されている。

蝦夷地が北海道と改称され、開拓使では開拓事業推進のため、明治五年にアメリカ人ワスソンを測量長として三角測量を開始。翌六年七月から一一月にかけて、奈佐栄が札幌近郊の畑地を測量し、野業簿に初ハブ村から描いた山を「初寒山」とメモしている。

明治一六年三月に函館県令の命を受け、アイヌ語地名調査を担当した永田方正は、明治二四年三月に『北海道蝦夷語地名解』を刊行。それによると三角山の山名を「オペッカウシ＝山崎ノ岸、又小山トモ云フ、圓山ノ北方ナル小圓丘ナリ、或ハ圓山ト云フハ非ナリ、一名〝ハッチャムエプイ〟ト云フ。ハッチャムエプイ＝櫻鳥ノ小山、直譯櫻鳥ノ蕾〝エプイ〟ハ蕾ナリ、取テ小山ノ義ニ用ユ比例多シ、一名〝オペッカウシ〟ト云フ」と収録されている。

明治三二年二月発行の札幌史学会編纂『札幌沿革史』に「連山は市街の西に距る、一里許にありと雖も、二千尺以上の山を見ず、其の南端に在る臨眺山（インガルシベヤマ・現在の藻岩山）といふ、登臨絶佳の山なり、其西に赤揚（ケネウシ）山あり、近くに小なる山を小山（モイワ・現在の円山）、圓山（マルヤマ・現在の三角山）といひ、岩塊を載きたる山を山崎（オペッカウシ）といふ」と記されている。このオペッカウシはアイヌ語で「山の崎が川の上に張り出している所」の意味から、三角山の北麓から発寒川に向かって突き出ている川岸から丘陵を指している。

三角山は古くから圓山と呼ばれ、安政四年の早川清太郎の手記に「発寒川琴似圓山ノ先ニ於テ角材ヲ採リ発寒川ニ流シ」とあり、明治六年三月、舟越長善圖・札幌圭二彫「北海道石狩州札幌地形見取圖」福穂堂蔵版に、最岩（現在の円山）札幌神社の背後の山には山名記入なし、そして琴似村に圓山（現在の三角山）が描かれている。

陸軍参謀本部陸地測量部の館潔彦が明治三一年六月一九日に、三角山に登って一等三角点を撰点した時は、三角点の名称を「琴似山」としている。明治三七年一〇月一三日から二二日にかけて三角山頂上で気象観測が行われ、その報告が北海道庁植民部拓殖課の『殖民公報』二六号に「三角山の気象観測」とあり、三角山の名称が普及していった。

また、三角山は小さな山なので、アイヌ語で〝ヘポイ山〟（ヘ＝頭、ポ＝子供、イ＝場所）とも呼ばれていた。

大倉山展望台の夜景は絶景

令和元年七月二六日の『北海道新聞』に「札幌の夏夜空なら、大倉山へＧＯ！　札幌市は〝夜景サミット２０１８　in　札幌〟にて日本新三大夜景に、そして大倉山は日本夜景遺産に決定されています。広大な大地にきらめく夏の大都市夜景を、大倉山から堪能してみませんか？」と大きく報道された。そして二七日の新聞では「大倉山の展望台夜間営業は午後九時、九月三〇日まで。リフト往復料金は中学生以上五百円」などと伝えられた。

札幌市中央区宮の森一二七四の大倉山展望台は、地下鉄東西線「円山公園駅」で下車、ＪＲ北海道バスに乗車し、「大倉山競技場入口」で下車し、徒歩約一〇分。

そこには三階建ての「札幌オリンピックミュージアム」があり、世界の舞台で活躍した五輪選手ゆかりの品がずらりと並んでいる。大倉山の全てを知るには平成一三年三月に札幌市教育委員会編『さっぽろ文庫96　大倉山物語』がある。近くの図書館などでご覧ください。本書には私宛に執筆依頼があった「地名を歩く」を掲載しています。

「日本新三大夜景都市札幌」には、大倉山展望台以外に藻岩山、旭山記念公園、ＪＲタワー展望室、さっぽろテレビ塔、すすきの交差点、中央区南三西五のノリア（観覧車）、大通公園、一一月下旬から一二月下旬まで大通公園で開催のミュンヘン・クリスマス市　in　Ｓａｐｐｏｒｏ、二月上旬開催の定山渓温泉雪灯路の一〇ヵ所が認定されています。

私が大倉山を目指したのは令和元年八月一四日、地下鉄円山公園駅から一五時三〇分発のバスに乗車。夕刻まで時間があるのでオリンピックミュージアムは久し振りでありノンビリと堪能。隣の大倉山クリスタルハウスは一階が売店、二階はレストランなので、大倉山限定の銘菓やオリジナルグッズを見て回った。

大倉山ジャンプ台頂上へのリフトに一七時に乗車。急斜面で所要時間は五分で山頂展望台に到着。三層の建物で二階は窓に覆われた展望台、屋上は標高三〇七メートルで眺めは抜群であった。そこには一八〇度にわたって見渡せる地形を略記した説明板があった。

左から石狩湾、暑寒別岳、札幌競馬場、モエレ沼公園、北海道大学、ＪＲ札幌駅、芦別岳、荒井山、円山球場、夕張岳、円山、神社山、藻岩山など多くが記載されていた。

残念ながら遠くは雲に覆われ、待望の暑寒別岳、芦別岳、夕張岳などは見えなかった。今日の日没は一八時四〇分、太陽が沈むにつれ頂上の樹林帯は日陰となり、リフトは赤々と電灯を灯す。眼下の大きな建造物は太陽の光で赤く染まり、その建物の影は黒々と浮き立っている。陽が沈むと空から地上までの空間は暗闇となり、街並みは電灯やイルミネーションでキラキラと輝き始め、石狩平野に広がる光の大パノラマへと変貌していく。

大倉山は殆ど歩くこと無く、札幌の夜景を楽しめる絶景な場所なので、夏の観光シーズンにはぜひ訪れてみては。

新宿区立漱石山房記念館を閲覧して

夏目漱石は慶応三年一月五日に江戸牛込馬場下横町（現在の新宿区喜久井町）で生まれ、大正五年一二月九日に新宿区早稲田南町で没した。

新宿区は漱石が生まれ、生涯を閉じたまちで、一一年の作家生活のうち後半の九年を過ごし、代表作を次々と執筆された。新宿区では誕生地と終焉の地の二ヵ所を区指定史跡に指定し、終焉の地に新宿区立漱石山房記念館を平成二九年九月二四日にオープンした。

翌年五月二六日に東京で日本山岳文化学会総会が催され、私は評議員を担当しているので、前日に東西線早稲田駅で下車し、徒歩約一五分で訪れてきた。

フロアは地下一階、地上二階と三階構成。地下に図書室、講堂室、情報検索システム、一階はブックカフェ、導入展示、漱石山房再現展示室、二階は展示室で訪れた時は、特別展として「子規・漱石ほか　この時代を築いた人々」が催されていた。

漱石の作品世界コーナーでは、明治三八年から大正五年までの名著が並び、「吾輩は猫である」明治三八年から四〇年にかけて上中下は大倉書店発行の見事な限定本。「鶉籠」明治四〇年春陽堂発行には「坊ちゃん」「草枕」などの文芸誌に発表しそれらが並ぶ。そして没後、いち早く岩波書店から大正六年から八年にかけて出版された「漱石全集」全一三巻、各巻定価三円が赤みがかった装丁で並び、当時の貴重本である。

漱石の美術コーナーでは、明治四三年に揮毫された「日似三春永」の書、大正四年に描いた山水画「秋景山水図」、明治三七年一〇月二五日付で寺田寅彦宛てに送った自筆水彩絵葉書などを陳列。
　漱石の俳句コーナーでは、自筆短冊　四葉。
明治二三年　**草山や南を削り麦畑**　　**漱石**
明治三〇年　**菫程な小さな人に生れたし**
明治四三年　**有る種の菊なげ入れる棺の中**
大正四年　　**菊の花硝子戸越しに見ゆる哉**
　漱石を取り巻く人々コーナーでは、正岡子規、高濱虚子、寺田寅彦、芥川龍之助ら五一名の写真が並ぶ。漱石遺愛品コーナーでは、漱石の長襦袢、南蛮紋様の襦袢で前側に墨や赤インクの飛んだ痕がある。
　自筆資料コーナーでは、「道草」「明暗」などの草稿、夏目金之助として立花鉄三郎宛に明治三〇年八月六日付で送った書簡、夏目鏡子宛に明治三五年三月一〇日付で送った書簡、市原隆作宛に大正元年九月六日付で送った書簡などが並ぶ。
　木曜会に集まった弟子たちの関係資料コーナーでは、津田青楓、墨画淡彩、掛軸装、大正一〇年作「漱石先生読書閑居之図」。津田青楓、墨画、掛軸装、大正五年九月作「漱石先生像」青楓は漱石の絵画の師でもあった。
　橋口五葉「吾輩ハ猫デアル」の装丁を鉛筆でデッサンしたもの。五葉は漱石の初期作品の装画や装丁を行った。また、漱石山房の原稿用紙やインク壺のデザインも手がけた。

加賀市全昌寺へ、芭蕉の足跡を追って

松尾芭蕉は四六歳の元禄二（一六八九）年三月二〇日に河合曽良（信濃国上諏訪生まれ、伊勢国長島藩に仕え、辞任して江戸に出て芭蕉に弟子入り）を伴い奥羽・北陸を行脚する「おくのほそ道」の旅に赴く。五月九日に松島、六月三日に出羽三山に登り、七月一五日に金沢城下に入る。八月五日（新暦九月一八日）に曽良と小松生まれの門人・北枝を伴い、那谷寺から小松に向かった。

曽良は体調を崩したので、先に大聖寺に向かい、泉屋の菩提寺である全昌寺に泊まり

終夜（よもすがら）秋風聞やうらの山

と一句を残している。

曽良筆の短冊は財団法人「柿衛文庫」（兵庫県伊丹市）に所蔵されている。芭蕉と別れた寂しさの真情があふれる句で、曽良の代表作とも云われている。

芭蕉は八月七日に全昌寺に泊まる。

私は平成三〇年六月一七日午後から、加賀市大聖寺番場町の深田久弥山の文化館で講演を依頼された。前日にアパホテルで宿泊し、翌午前中に文化館ボランティアの真栄隆昭さんの運転

する車で全昌寺に案内され、松尾芭蕉らの句碑について詳しく説明を受けた。

全昌寺境内に入ると、すぐ左側に「はせを塚」と刻んだ大きな石碑がある。大聖寺の俳人二宮木圭（本名・十平、代々醤油醸造を家業とし、俳句は父・木雄から学び、芭蕉を崇拝し、句会を催し門弟を育成していた）が明治中期にこの石碑を建立された。

塚の右側には／**終夜秋風聞やうらの山**／と刻まれた曽良の句碑、昭和三年に建立。

塚の左側には芭蕉の句碑／**庭掃いて出でばや寺の散る柳**／が立っている。いずれも郷愁を誘う温かさが感じられる。

更にその左に、横長の御影石に「（芭蕉）はせを塚と曽良の句碑」として、詠まれた経緯を説明している。

その奥は丸型の大きな御影石で「全昌寺、芭蕉忌における深田久弥（九山）作・全句として一一句。深田久弥　一九〇三～七一、作家・俳人・登山家、はつしほ句会創始者」と刻まれ、裏面に句碑揮毫者は作家の高田宏とある。

全昌寺の寺宝に杉風が作ったとされる芭蕉像がある。杉風は毎年芭蕉忌にはこの寺で句会を催していたと伝えられている。

別棟の羅漢堂には、江戸末期に京都の仏工たちによる作で、極彩色の五百羅漢僧が、一体ごとに寄進者の住所氏名が記され、総計五一七体が安置され、逸品揃いで感銘しきりだった。昭和四八年に市の文化財に指定された。

酒の神・京都の松尾大社に詣でて

嵐山に行く阪急嵐山線の終点一つ手前に松尾大社駅があり下車。桂川とは反対側の山の方へ歩くと、すぐに大社の入口で赤い鳥居を潜ると拝殿がある。

その横に神輿庫があり、全国の酒造家から奉献された大きな酒樽が、庫内に五段に積まれ、何百樽が保存されているのであろうか。

本殿横の庭園に入ると、湧き水が霊亀の滝として流れ、ここで亀が出現したと云う。北東隅に亀の井があり、この水で酒を造ると腐ることはないので、醸造家が尊祀することになった。出てきた亀は瑞亀とされ、亀は長寿幸いを招くというので、霊亀、神亀、宝亀などと呼ばれていた。

松尾大社の由緒は、京都最古の神社で、太古はこの地一帯に住んでいた住民が、松尾山の神霊を祀った。生活守護神としたのが起源で、五世紀の頃、朝鮮から渡来した秦氏がこの地に移住し、山城・丹波の両国を開拓し、河川を治めて農産林業を興し、同時に松尾の神を氏族の総氏神と仰ぎ、文武天皇の大宝元（七〇一）年には、山麓の現在地に社殿を造営された。都を奈良から長岡京、平安京に遷されたのも秦氏の富と力によるものである。

従って平安時代当社に対する皇室のご崇敬は極めて厚く、行幸数一〇度に及び、正一位の神階を受けられ、名神大社、二二社に列せられ、加茂両社と並んで皇城鎮護の社とされた。

室町末期までは全国一〇数ヶ所の荘園、江戸時代にも朱印地一千二百石、嵐山一帯の山林を有していた。

社殿の本殿は、大宝元年秦忌寸都理が勅命を奉じて創建以来皇室や幕府の手で改築され、現在のものは室町初期の応永四（一三九七）年の建造、天文一一（一五四二）年大修理を施し、建坪三五坪余、桁行三間・梁間四間の特殊な両流造りで、松尾造りと称されている。

箱棟の棟端が唐破風形となっているのは他に類例はない。柱や長押などの直線と屋根の曲線との調和、木部・檜皮の色と柱間の壁の白色とが交差して醸し出す色彩の美さ、向拝の斗組・蟇股・手狭などの優れた彫刻意匠は、中世の特色を遺憾なく発揮していて、重要文化財に指定されている。また本殿に続く釣殿・中門・回廊は、神庫・拝殿・楼門と共に江戸初期に建築されたものである。

御祭神の大山咋神は、古事記に「大山咋神またの名は山末大主神、此神は近淡海国の日枝山に座し、また葛野の松尾に座す鳴鏑を用ふる神なり」とあり、山の上部に鎮座され、山及び山麓一帯を支配する神であり、近江の国の比叡山と松尾山を支配される神であったと伝えられている。

市杵島姫命は、古事記に「天照大神が須佐之男命と天安河を隔てて誓約された時、狭霧の中に生まれ給うた」と伝えられている。

御神館には、当社所蔵の御神像二一体が常時拝観出来る。重要文化財に指定されている老年・壮年男神像、女神像は平安時代の作で等身大一本木造りの座像で、我が国神像彫刻の最古最優秀品として有名である。

愛媛県立道後公園　湯築城跡

松山市道後温泉南側に盛り上がった丘陵地七一メートルがある。湯築城跡で明治二一年に県が整備し憩いの場となった。湯築城は南北朝の建武年間（一三三四〜三八）に河野通盛が築城。以後、通朝、通直ら河野氏歴代の本拠地となったが、通直の天正一三（一五八五）年に羽柴（豊臣）秀吉の四国征伐で、秀吉の武将・小早川隆景の攻撃を受けて開城、伊予国の名門河野氏は四〇〇年で滅び去った。

この公園の面積は約九万一千平方メートル、丘陵が起伏し城跡の二重堀が昔の面影が残る。平成二九年五月九日に道後温泉南側の北口から登ってみた。すぐに県指定の文化財、「石造湯釜」直径一六六・七センチ、高さ一五七・六センチの円筒形の花崗岩があり、「南無阿弥陀仏」と、正応元（一二八八）年に河野通有の依頼で一遍上人（河野一族）が記す。

頂上広場に展望台があり、上がってみると西方間近に松山城、東に遠く石鎚山が望まれた。西に向かって下ると、湯築城資料館があり、入館すると、この一帯は昭和六三年から発掘調査が始まり、その調査概要や河野一族の歴史、場内の武士の生活などのパネルと出土遺物が展示されていた。

そして『河野氏風雲絵巻―湯築城物語』があったので購入。知られざる文と絵が描かれているので、若干、紹介しよう。

「古代より瀬戸内海はわが国の重要な交通路、平安時代（七九四〜一一九二）の頃、有力な貴族や寺社によって領地の私有地化が行われていた。伊予国（愛媛県）越智郡の有力豪族・越智好方が河野氏の祖先だとされ、河野氏の出自は風早郡河野郷（北条市）で、その後、道後の湯築城を本拠地とし、平安時代末期から河野氏が登場するようになる。

治承四（一一八〇）年、源頼朝が平家討伐の兵を挙げると、河野通清、通信父子がいち早く呼応し、伊予国の平家方の中心勢力だった平維盛を攻め落とした。壇の浦の戦いでは通信は三十艘の軍船を率い、源義経のもとにかけつけ寿永四（一一八五）年三月二四日早朝、両者は激突、この時、源氏方の軍船は八〇〇余艘、平家方は五〇〇艘で、午後になって潮の流れが変わり、平家方から裏切り者も出て、戦いは一挙に源氏方が勝利した。

蒙古の大軍が文永一一（一二七四）年一〇月に対馬から北九州沿岸を襲い、多くの住民が殺害された。日本軍は戸惑い苦戦したが、暴風雨が襲い蒙古軍は船を引き揚げた。

七年後に蒙古が再襲来、朝鮮南岸より軍船九〇〇、兵四万二千、中国から軍船三五〇〇、兵十万の二手から博多を目指すが、中国からの到着が遅れ、合流に手間取った。博多湾で待機していた日本軍は石築地の後方に陣を構えたのに対し、通有はその前方に陣を張って味方を驚かせた。そして通有は小船二艘で、蒙古の大船に漕ぎ寄せ、敵の大船から放った石弓で通有は左肩を打たれたが、片手で太刀を持ち、倒れた帆柱を敵船に立てかけて攀じ登り、船中で敵の大将を生け捕りにした。この時も天佑が再び起こり、夜半に暴風雨が到来し蒙古軍は姿を消したのである。

待望の比叡山へは土砂降りで中断

平成三一年四月二五日早朝に滋賀県大津市の木曽義仲墓地を訪れ、曇空だったが琵琶湖沿いの京阪石山坂本線に乗車し、終点の坂本比叡山口駅で下車した。

寺院が立ち並ぶ坂道を五分程歩くとケーブル坂本駅、日本一長いケーブルカーで全長二千二五メートル、所要時間一一分。車窓からは残念ながら曇空で美しい琵琶湖は見られず、延暦寺近くの終点駅で下車。

山頂の延暦寺に向かうが、一キロほど歩くと霧雨が土砂降りになり、無動寺のバス停小屋で待機。ここから西への車道を大比叡(標高八四八メートル)を越え、二キロ程で京都側に下る叡山ロープウェイがあるので、そこから降りよと小降りになるのを待つことにした。

やがてバスが到着した。これは山頂行きだったので、京都側のロープウェイ行きのバスの有無を尋ねると、残念ながら無かった。運転手から「坂本ケーブルへ下った方がよいですよ」と言われ、やむなく雨具を被って下ることにした。

残念なのは比叡山へ行けなかったことである。比叡山は山全体が聖山で、日本仏教界に多大の貢献を果してきた。その歴史を紹介しておこう。

天台宗の総本山が延暦寺である。千七百平方メートルの広大な山中に約一五〇の建物を纏めて延暦寺と呼んでいる。

延暦七（七八八）年に最澄が一乗止観院という小さな寺院を創建したのが始まりである。最澄没後の弘仁一四（八二三）年に、最大の庇護者であった垣武天皇の時代「延暦」の年号にちなんで寺号を賜った。その後、最澄の弟子たちによって規模を拡大し、日本最大の寺院として発展し、最盛期には三千もの寺院が甍を並べていた。

元亀二（一五七一）年に織田信長による焼き討ちにあい、建物は全焼してしまった。

その原因は、前年、延暦寺が浅井、朝倉軍を山内にかくまったからである。朝倉軍は湖を南下し、織田軍の滋賀郡の宇佐山城を孤立させて迫った。これに対し退路を断たれることを恐れた信長は、急遽、軍馬を浅井、朝倉軍を追撃した。信長の追撃を避けて浅井、朝倉軍は延暦寺の山内に逃げ込んだ。そこで信長がこの地を押さえる延暦寺を、焼き討ちしたのである。

信長没後、豊臣秀吉や徳川幕府の庇護のもと、長年かけて復興を果たした。

現在の延暦寺は、比叡山内を三地区に分割している。東塔は最澄と初代座主・義真の時代に開かれた延暦寺の中心部で、最澄が建立した一乗止観院を起源とする根本中堂を中心に、各宗祖を祀る大講堂や檀信徒の先祖回向の道場である阿弥陀堂が建っている。

西塔は第二代座主・延長の時代に開かれた釈迦堂を中心に、最澄を祀る浄土院や修行の道場である「にない堂」などがある。

北にある横川地区には、第三代座主・円仁の時代に開かれた横川中堂がある。横川中堂は最澄が留学時に乗船した、遣唐使船を原型に舞台造りの建物である。

萩原さちこ著『日本一〇〇名城めぐりの旅』に感動

平成一一年一〇月から毎月俳句雑誌『道』に「山旅句」を連載。山を題材にして海外の山に登っていた。それも傘歳になると足腰が弱くなり、もう山には登れず、四国の松前城や兵庫県の姫路城などに訪れていた。

北海道新聞に「城めぐり」が記され参加。平成三一年三月二六日に新千歳空港から富士山静岡空港へ行って、静岡県の駿府城、掛川城、山中城、神奈川県の小田原城、埼玉県の川越城、東京都の八王子城、江戸城をめぐって羽田空港から新千歳空港に二八日に帰着した。道新観光主催で参加者は一九名だった。

出発前に『日本一〇〇名城に行こう』A五版、一四〇頁。それと現地で案内される萩原さちこ氏が記した「日本一〇〇名城とは、城の歴史と分類、織豊時代の城、江戸時代の城、城の楽しみ方」。それに訪れる名城を略記しカラー刷りの「案内図絵」入りまで添え、送られてきて驚いた。

訪れた三日間は好天にめぐまれ、雪を抱いた富士山が高々と聳え、皇居内の江戸城めぐりでは桜が満開だった。参加者全員にイヤホンガイドが渡され耳に刺すと、萩原講師の詳細な説明を、離れていても聞こえてくる。

萩原さちこ氏は東京生まれ。小学二年生で城に魅せられ、城めぐりライフワークに、執筆業を中心にテレビ・ラジオ・イベントなどに出演、著書も多く出版されている。

わくわく城めぐり　山と渓谷社
現存12天守めぐりの旅　学研
図説・戦う城の科学　ＳＢクリエイティブ
江戸城の全貌—世界的巨大城郭の秘密　さくら舎
お城に行こう！　岩波ジュニア新書　その他著書、共著も多い。

『日本一〇〇名城めぐりの旅〜七つの魅力でとことん楽しむ！』を購入した。Ａ五版、一四四頁、学研、平成二九年三月発行なのだが、手にしたのは翌年三月に出版した第三刷なので、好調な売れ行きである。表紙帯に「七つの魅力に注目すれば、お城めぐりがさらに楽しくなる！　①「石垣」の積み方　②石材の違いに注目する　③「天守」のしくみや懸賞のコツを知る　④ハイキング感覚で「山城」を歩く　⑤「縄張（設計）・「軍事装置」の妙を探る　⑥「合戦の舞台」になった城めぐり　⑦「戦国武将ゆかり」の城を訪れる—とある。

「目次」には七項目の名城を四箇所づつ採用されている。「日本一〇〇名城ワンポイント見どころガイド」には四七都道府県の名城が記され、見どころを紹介されている。

北海道では根室市の根室半島チャシ群・函館市の五稜郭・松前町の松前城を記載。

このガイドブックに大いに感動し魅せられた。道新観光では第四回企画として令和元年七月九日から三日間、北陸の新発田城・春日山城・七尾城・金沢城・丸岡城・一乗谷城を公募された。福井県の一乗谷城は私の祖父の生まれ故郷なので、すぐに申し込んだ。だが残念ながら肺炎病が再発し、札幌呼吸器科病院に入院。城めぐりはキャンセルせざるを得なかった。

徳川一族の栄華を誇った二条城

京都市中京区二条通堀川に二条城がある。関ヶ原の合戦で勝利をおさめた徳川家康が慶長六（一六〇一）年に二条城の造築を開始。豊臣秀吉に代わる天下人として王城の地である京都に自らの拠点を設け、朝廷はもとより諸国諸藩にその勢力を示す目的であった。

慶長八年三月に二条城に勅使を迎え、家康の征夷大将軍宣下の賀儀が行われ、徳川幕府の誕生という新しい歴史が、この城を舞台として始まったのである。

二代将軍秀忠の娘・和子が御水尾天皇の女御として入内、和子の宿所として二条城に新たに御殿が建設された。

寛永三（一六二六）年九月、御水尾天皇の行幸に先立って大規模な改修と増築を実施する。城域を西に拡幅し、東西約五百㍍、南北約四百㍍に及ぶ現在の規模となった。

新たに本丸部分を設け、殿舎を新築し、西南隅には伏見城の天守閣を移した。また、二の丸の中に天皇を迎える行幸御殿を建て、合わせて二の丸御殿と庭園の改修改造も行った。

幕府は「城中殿閣構造あるべし、ことさら玉座は金銀の具をもちいるべし」と命じ、小堀遠州ら作業奉行に任じた。

二の丸御殿書院群には絢爛たる障壁画が飾られている。全て金箔と濃い彩色を用いた華麗な金碧画である。幕府の御用絵師を務めた狩野派一門で、道味、探幽、尚信、興以らが描いている。

三代将軍家光、大御所秀忠も入洛し、御水尾天皇を迎えた行幸は、二条城の歴史に残る最も華やかな行事であった。天皇は五日間滞在され、その優美で絢爛とした城内のありさまに嘆賞された。天守閣には三度登られ、京の眺めを楽しまれた。

寛延三（一七五〇）年の落雷によって、天守閣が焼失。天明八（一七八八）年の大火で本丸御殿等が焼失し、城は荒れ果て、幕府の権力も実力も衰えた。

家康による造築から約二六〇年、文久三（一八六三）年三月に一四代将軍家茂が二条城に入城。その当時は攘夷をめぐって朝廷と幕府に軋轢が生まれ、長州を中心とする倒幕の動きも激しく、家茂は公式の和解を策したが志を果たせぬまま死亡した。

跡を継いだ一五代将軍慶喜は万策つき、慶応三（一八六七）年一〇月一三日、二条城大広間に諸大名を集めて大政奉還を宣言し、幕府の終焉を告げた。

二条城は朝廷に接収され、明治元年に太政官代が、同四年に京都府庁が置かれ、同一七年に宮内省所管となり、「二条離宮」と称された。同二六年に京都御所にあった桂宮家御殿を本丸に移転。昭和一四年に京都市に下賜され現在に至っている。

今では観光名所となり外国人を含めて賑わっている。配付されたパンフレットには、世界遺産として巡る順路を①東大手門　②東南隅櫓　③唐門　④二の丸御殿　⑤二の丸庭園　⑥本丸御殿・本丸庭園　⑦天守閣跡　⑧清流園。そして二の丸御殿内の鹿野派一門が描いた障壁画が紹介されている。

長野県松本市の松本城を訪れて

松本城天守五棟は国宝で、天守閣からの眺めはアルプス山脈が抜群。そこに平成三〇年九月二九日に探訪してきた。

松本城の創始は今から約五百年前の永正元（一五〇四）年に逆上る。信濃守護小笠原貞朝は一族の家臣島立右近貞永をこの深志の地に配し、本城林城の前面の固めにした。

その後、天文一九（一五五〇）年に武田晴信が、ここ信濃の府中に侵入して時の守護小笠原長時を追って深志城に入った。晴信は土木技術をもって三重の堀を巡る広大な城とした。しかし激動の天正一〇（一五八二）年、武田晴信が滅び織田信長が本能寺に倒れると、信濃は再び無主動乱の巷となった。その間隙をぬって小笠原長時と子貞慶が府中を回復。深志城の名を松本城と改め、三の丸に武家屋敷を構え、近世城郭の基礎を固めた。

天正一八年、小田原城を落として天下人となった豊臣秀吉は徳川家康を関東に封じ、松本城には家康から離反して秀吉に走った石川数正を配して、関東包囲網の要とした。

数正亡き後、子康長は秀吉の威光を受け、文禄二（一五九三）年から三年に、拝領紋の五七の桐文と金箔瓦を戴き、威風堂々の天守三棟を構築し、さらに寛永年間、松平直政が泰平の世にふさわしい書院風の月見櫓と辰巳附櫓を附設した。朱塗りの回縁が天晴となって剛と雅の調和した天守群が出現した。

最上階（天守六階）、これは戦の時に周りの敵の様子を見るところ（望楼）。天井は井桁梁でがっちりと組まれている。天井中央に祀られているのは、二十六夜神という松本城を守る神社。

六階に登る階段（天守五階）、重臣たちが戦いの作戦会議を開く場所。他の階に比べて天井が高く、そのため六階に登る階段だけはおどり場が設けられ、階段が緩やか。

御座の間（天守四階）、書院造り風のこの部屋はいざというときに城主が居る所（御座所）。天井が高く四方から光が入り、柱はすべて檜で、鴨居の上には小壁もある。

窓がない暗い部屋（天守三階）、天守閣は外からは五重に見えるが、内部は六階になっている。この階は外からはわからないので、最も安全なため、戦いのとき武士が集まる場所。

特徴のある窓（天守二階）、この階の窓が多く明るく、堅格子窓（武者窓）が東・西・南の三方にある。四部屋に分けられ、武士たちがつめている武者溜。

渡櫓（天守への入口）、天守と乾小天守をつないでいるので渡櫓。天守閣への入口である大手口は、頑丈な扉で簡単には中に入れない。二階には天守の瓦や、鍛冶屋が一本、一本作った和釘などが展示されている。

石落と狭間、天守閣では、戦国時代の主力武器であった鉄砲戦への様々な備えを見ることができる。厚い壁には矢狭間・鉄砲狭間があわせて二五ヶ所あり、天守・乾小天守・渡櫓の一階には石落が設けられ、石垣を登ってくる敵を防ぐ工夫で、狭間と同じように鉄砲を使っての攻撃可能な武備である。

豊臣秀吉・徳川家康が重視した東海道筋の掛川城

掛川市は静岡県の中西部に位置し、古くから東海道の交通の要地として発達。鎌倉期以降は縣川として『吾妻鏡』（治承四～文永三年＝一一八〇～一二六六　鎌倉後期の武家記録）や紀行文に記されている。

掛川城は文明初年（一四七二頃）、現在の城跡の南西にある天王山（六五メートル）に、今川義忠の重臣・朝比奈泰熙が築いたのが初めて、永正一〇（一五一三）年に現在地に新たに築城、旧城は廃城となった。

城のある竜頭山は標高五〇メートル程の丘陵。東に逆川を配する要害の地で、戦国時代には遠江の東の関門として、幾度が戦乱の舞台となった。

永禄三（一五六〇）年、今川義元と織田信長との尾張桶狭間の合戦で、義元は駿遠三・三国の大軍を率いて西進し、桶狭間に進出したところ、信長が風雨をついて奇襲し、義元を打ち大勝、これを契機に信長は勢力を拡大し天下統一に向かう。

また永禄一一（一五六八）年、武田信玄の駿河侵攻により、今川氏真は掛川城に逃げて籠城。徳川家康が掛川城を囲んで六カ月の激戦で、城を明け渡し徳川方の城となった。

家康が江戸に移ったあと、天正一八（一五九〇）年に山内一豊が五万石をもって入城。城の大改修を行い、近世大名の居城として面目を改めた。

豊臣秀吉没後、慶長五（一六〇〇）年九月一五日に美濃関ヶ原で石田三成の西軍八万余と徳川家康の東軍一〇万余とが天下を争った。諸大名はいずれかに属したので、天下分け目の戦いとなった。西軍小早川秀秋の裏切りによって東軍は大勝。以後、家康は天下の実権を握り、豊臣秀頼は摂津・河内・和泉六五万石の大名となった。

関ヶ原の合戦後、山内一豊が土佐に転じた後は、松平定勝・安藤直次・朝倉宣正・青山幸成・松平忠重・本多忠義・北条氏重・井伊直好・小笠原長熙など城主の交代が相次ぎ、太田資美の時代に明治維新を迎えた。

当時、城は市街の中央に聳える城山（竜頭山）を中心に本丸・二の丸・三の丸・松尾郭・中の丸・竹の丸・山下郭・大手郭などを配し、その東西に侍町、町を貫流する逆川を境に東海道に沿って城下の町屋が連なり、市街全体を外郭の総堀で包むようになっており、東海の名城と呼ばれていた。

城の主要部は東西六〇〇メートル、南北四〇〇メートル、城と町を含む総構で東西一四〇〇メートル、南北六〇〇メートル、中内外の堀の延長は三六〇〇メートルに及ぶ大きなものだった。城の建物は天守をはじめ三重櫓二、二重櫓六、櫓七、楼内九、四脚門一二、その他御殿、館、諸役所、藩校、蔵一四、武家屋敷、長屋があった。

幕末安政地震（一八五五年一〇月）で建物の被害が多く、再建した建物は明治廃城で取り払われた。城跡は公園、官庁街、市街地となり、遺構は天守台〔嘉永七（一八五四）年一一月の大地震で崩壊、平成五年に復元〕、御殿〔掛川城二の丸御殿で、地震後安政二（一八五五）年から再建工事が実施された〕。

神奈川県小田原市の小田原城を訪れて

明応四（一四九五）年、伊豆韮山城の北条早雲は小田原の大森を襲撃して城を奪い、関東進出の足掛かりを築いた。早雲自身は韮山城を本拠としていたが、二代目の北条氏綱は小田原城を居城とし、本格的な関東経略に乗り出した。三代目に続く北条氏康の頃には関東最大の大名に成長し、小田原城も順次拡張整備されていった。

永禄四（一五六一）年には上杉謙信、同一二年には武田信玄に攻められたが、いずれも退けている。

近世城郭として小田原城の整備を開始したのは、譜代大名の大久保忠世である。しかし、その子の大久保忠隣は不正事件に連座して改易となり、小田原城もほとんど破壊された。

再び小田原城建設が始まったのは、寛永四（一六二七）年である。新城主となった稲葉正勝は、徳川家康の後押しを受けながら、三層の天守や本丸をはじめ二の丸、三の丸に及ぶ大整備を行ったのである。

その後、地震や富士山の噴火によって、城は何度も破壊された。そしてその度に復興工事が行われている。江戸の町にとって、最終防衛線に位置する城なので、繰り返し城普請が行われていた。

いわば、江戸城を守る役目を果してきた小田原城だが、残念ながら藩政期から残る建物は一つも無い。現在みられる建築物は、いずれも戦後復元されたものである。

その中でも一番目を引くのは三層四階の天守である。宝永三（一七〇六）年の天守をモデルに昭和三五年に再建された鉄筋コンクリート製の建物で、その天守台を含め約四〇㍍天守内は古文書や絵画、武具などが展示されている。最上階は展望台となっていて、小田原の市街地から遠くに広がる相模湾や伊豆半島、房総半島まで見渡せる。

常設展示として、一階は「江戸時代の小田原城」として屏風に描かれた風景、小田原城の城主として大久保忠世、徳川秀忠、稲葉正勝、大久保忠真の解説、小田原城の構成と役割など。

二階の「戦国時代の小田原城」では、戦国時代とは、北条一族の系譜、初代北条早雲から五代北条氏直までの歩み、豊臣秀吉の天下統一と小田原城、北条早雲研究の今、文化の形成とは、刀工綱家銘入り短刀、出土遺物の茶道具など。

三階は「小田原ゆかりの美術工芸」で、黒漆秋草蒔絵化粧道具、岡本秋暉筆「花鳥図」、鎧兜、刀剣類、「発掘された小田原城とその城下」では、陶磁器・茶碗のかけら、ガラス製の簪など。

四階は「その時代の小田原城」として、明治維新後の変遷を写真で紹介。

五階では「小田原城天守再現」として、江戸時代には摩利支天を含む天守七尊と呼ばれる仏像が安置されていた。復元後は摩利支天のみ返還されたので飾られている。

小田原城は総延長約九㌔に及ぶ長大な外郭線を持ち、さまざまな遺跡や見どころがある。城内の展示は実物が多く大変参考になった。

日本最大の城　江戸城

江戸城は東京都の千代田区・中央区全域と港区の一部を含む広大な範囲で、外郭の総延長は約一六キロに及ぶ。

現在、皇居となっている範囲のうち、東御苑に相当する所が本丸・二の丸・三の丸で江戸幕府の将軍の居所となっていた。

江戸城と称されたのは長禄元（一四五七）年で扇谷上杉の家宰太田道灌であった。道灌は下総国古河にあった鎌倉公方に対抗するため、江戸の地でも西側に寄った丘陵先端部を城郭とした。山の手台地が平川に接し、日比谷入江に注ぐ所で、平川河口と利根川河口の中間には八重洲を形成し、鎌倉を凌ぐ賑わいであった。

大永四（一五二四）年に江戸城主となった北条氏綱は、東武蔵の在地武士団を組織して江戸衆という軍団の本拠とした。天正一八（一五九〇）年、豊臣秀吉は北条氏綱を滅ぼし、徳川家康に与え城主を徳川秀忠に任命。

豊臣秀吉が没し、京の政権と豊臣方の動勢に配慮し、江戸城を本格的な天下の府城として大々的に築城を行ったのは、慶長八（一六〇三）年に家康が征夷大将軍に就任し、東国に武家の集合陣営を構えるためだった。

家康は江戸の街づくりとして、埋立て工事を七四家の諸大名に命じ、日本橋から新橋までを造成。翌年から石垣工事に必要な石材調達と運搬を西国大名らに命じて、本丸・二の丸・三の丸の石垣工事と建物の工事に着手。

元和二（一六一六）年には神田と湯島の間の凹地を開削し、平川の流れを東の浅草に変更し、江戸城中と城下に水道を建設した。

天守は家康・秀忠・家光時代に位置を異にして造営されたが、明暦の大火（一六五七年）で焼失後は造営されなかった。現存する天守台石垣は八代将軍吉宗の代に、前田利常が瀬戸内海小豆島の御影石を搬入し、積み直したものである。

慶応三（一八六七）年、最後の将軍徳川慶喜が大政奉還し、翌年の江戸開城で徳川幕府は終止符を打った。新政府は年号を明治と改元、天皇も遷都されて東京と定められた。現在は皇居・千代田城と呼ばれている。

現在の城の見学はＪＲ東京駅近くの大手町から、外堀を渡った大手門を入る。ここは敵の侵入を防ぐため、門の位置をカギ型に配慮した「枡形門」である。入ると長さ五〇メートルほどの検問所があり、当時は江戸城の守りを固めるために鉄砲隊も配置し「百人番所」と呼ばれていた。

そこからは「富士見櫓」江戸城の遺稿のなかで唯一残された三重櫓、その高さ約一五・五メートル。将軍たちはここから江戸の街並みを眺めていたのである。

「幻となった天守台」三代将軍徳川家光が五層六階、地上五八メートルの壮大な天守閣を建設したが、明暦の大火で焼失。再建に向けて石垣工事を、大工を呼び寄せて天守台を改築したが、四代徳川家綱の補佐役・保科正之が「太平の世に天守閣は不要を進言し再建されず。現存する巨大な切込み石材で、精密に組まれた石垣は当時の面影を残している。

箱館戦争の舞台となった五稜郭城

安政元（一八五四）年徳川幕府は箱館開港にともない、港に近い箱館山麓に箱館奉行所を開設したが、北方ロシアからの攻撃を防備する必要もあるので、安政四年に諸術調所教授で蘭学者の武田斐三郎に五稜郭の設計を命じられた。

武田はオランダ築城をもとに設計、フランスのボーバンの築城法も取り入れ、塁内からの射撃に死角がないのが特徴。郭内約二五・一四ヘクタール、東西南三方に土塁を築き、外側に亀田川からの水を引いて濠を巡らした。

濠の面積五万五六二〇平方メートル、郭高約五メートル、濠には石垣を築き、土塁の西南、西北および東北に門を設け、西南の追手門外に半月堡と呼ばれる三角形の土塁を築き、外側に濠をまわし、台場は一ヵ所に設置された。

備砲一二九門、土塁内に間口三〇間、奥行四〇間の木造瓦葺奉行庁舎を中心に用人、手附、近習、給人、大部屋、秣置場、稽古場、土蔵など。また弾薬庫六ヶ所が配備され、郭外北部には同心長屋五〇軒、定役宅三〇軒、組頭・調役宅一六軒が建てられた。

弘化元（一八四四）年、五稜郭はほぼ完成。小出秀実が奉行として着任し、蝦夷地の政治の中心地となり、役人は二〇〇人にも及んだ。

しかし慶応三（一八六七）年七月に高知藩士坂本龍馬、鹿児島藩士西郷隆盛らが会見し薩長同盟を結成。その倒幕派と幕府内強硬派とが対立し、同年一〇月に江戸幕府一五代将軍徳川慶喜が朝廷へ政権返上を申し入れ、二六五年続いた幕府は消滅した。

明治維新後は箱館裁判所（箱館府）庁舎となり、杉浦勝誠から引き継いだ清水谷公考が箱館奉行所総督となる。

明治元年八月一九日夜中、奥羽列藩同盟の再三の要請にこたえ、旧幕府海軍艦隊は品川港を脱走して向かったが、時すでに遅く奥羽同盟は崩壊していたため、蝦夷地開拓によって旧徳川家臣の救済をはかるべく仙台を出航した。この時に北関東・東北各地を転戦していた旧幕府脱走陸軍も収容した。

いよいよ箱館戦争である。一〇月二〇日に森町鷲ノ木に上陸した脱走軍は箱館府派遣の守備兵と七重・大野などで戦闘となった。戦争に不慣れで装備の劣った守備兵は敗退。蝦夷地に止まった松前藩も、土方歳三が率いる一隊が松前・江差を制覇し、さらに五稜郭を占拠し、この城を本営地として一二月に榎本武揚を総裁に蝦夷地仮政府が樹立した。

しかし、明治二年四月に新政府軍が進攻、五月に総攻撃を開始。六月に榎本軍は降伏して五稜郭を開城し、箱館戦争は終えた。

明治四年八月に天皇、在京五六藩主を集め「廃藩置県の詔書」を公布。翌年、五稜郭内の建物を解体、現存するのは兵糧庫のみ。星型に見える五つの稜堡、半月堡、堀、土塁、三つの橋などは残された。

大正二年に五稜郭公園として開放され、濠の堀沿いに桜を一六〇〇本余を植樹、今では桜の名所となっている。大正一一年に国の史跡に認定、昭和二七年に特別史跡に指定された。

松前郡福山（松前）城を訪ねて

桜の名所である松前公園に福山（松前）城があるので、平成三〇年五月に松前町の句碑調査を兼ねて入城してきた。

城の成り立ちは、松前家第五世で初代藩主となった慶広が、居城を固め権勢を張ろうと慶長五（一六〇〇）年に大館の前方にある福山台地に、六年の歳月を費やして完成して福山館と命名。大館にあった寺町を福山館の周辺に移し、寛永六（一六二九）年に領内の千軒岳金山の金掘人夫を動員し、石垣を修築させた。

嘉永二（一八四九）年に幕府は蝦夷地近海に出没する外国船が多くなってきたので、守備を固める必要を痛感し、十七世崇広（十三代藩主）に築城を命じた。崇広は翌年に高崎藩の兵学者市川一学に設計させ、五年の歳月を経て安政元（一八五四）年に新城を竣工し、福山城または松山城とも呼ばれていた。本丸・二の丸・三の丸・桜櫓六・城門一六・砲台七座を構えた、わが国最北に位置する最後の日本式城郭である。

明治維新の箱館戦争で土方歳三が率いる旧幕府脱走軍の攻撃を受け、築城わずか一三年にして落城した。

明治維新後、明治七年に政府の廃城令により、主な建物や石垣は撤去、堀も埋められ、天守閣・本丸表御殿の一部と本丸御門のみが残された。

昭和一六年に国宝に指定された福山城天守閣だったが、昭和二四年六月五日の役場火災の飛び火によって焼失してしまう。現在の天守閣は町民や全国から寄付金を募り、鉄筋コンクリートで再建された。

福山城の唯一の遺構となった本丸御門（大手門）は、昭和二五年に重要文化財に指定された。昭和五九年から翌年にかけて、大規模な修復工事が行われた。その工事は文化財保護法に基づく国庫補助事業費で賄われた。

松前城の入館券を購入して入ってみると、地下と一階から三階まで展示資料館になっていた。地下は松前藩関係資料で、北海道命名一五〇年を記念し、北海道唯一の近世大名・松前氏の居城「福山城の縄張図」「松前奉行所図」などを展示。

一階も松前藩関係資料、「松前屏風」龍円斉児玉貞良が宝暦年間（一七五一～）に描いた六曲一双の大きなもの。「松前家史料」長禄元（一四五七）年、松前家の祖武田信廣が「コシャマインの戦い」を平定、「江戸松前藩邸図」「松前神社桐章」などを陳列。

二階はアイヌ関係資料、七飯町室岡チヤ氏から寄贈された、渡島半島のアイヌ関係資料は極めて貴重である。松本家資料として、安政年代に長者丸の航海日誌などを配列。また「蠣崎波響筆　夷酋列像」波響が寛政元（一七八九）年に「クナシリ・メナシの戦い」で鎮圧に協力したアイヌ人の肖像画である。

三階は古写真パネル、幕末から明治、大正、昭和に至るまでの福山城の写真パネル。古いものは慶応三（一八六七）年撮影・明治四年に複写したものである。

岐阜県関市の観光地巡り余話

平成二九年一一月末に岐阜県関市に訪れ、高沢観音・高沢山に登り、多くの感銘を受けながら山を下った。

関市では食堂の多くが、うなぎ専門店なので昼食を評判の「うな丼」を注文した。それがすごく美味しかった。

奈良時代の歌人・大伴家持が万葉集で／**石麻呂に吾れもの申す夏やせに　よくといふものぞ鰻とり食せ**／と詠んでいる。あまりにも痩せている石麻呂をからかって、「夏場になったら見苦しいぐらい痩せるだろうから、鰻でも食って精をつけで夏負けを防げよ」と言っている。この時代は既に鰻は滋養強壮剤であり、栄養食品として食べられていた。

鎌倉時代には刀匠たちが関市に移り住み、刀を作り始めたのが、刃物の町としての始まりである。ピーク時には三百人以上もの刀匠たちが、スタミナ源として、また商売などのお客さんの持てなしに、鰻やうな丼が重宝がられていた。現在でもその秘伝の焼き方やタレは受け継がれている。

鵜が飲み込みにくい〈〝う〟が〝な〟ん〝ぎ〟する〉ということから〈〝う〟〝な〟〝ぎ〟〉と名付けられたという説もある。

「関鍛冶伝承館」は百年に及ぶ関鍛冶の技を伝える資料館なので訪れてみた。

一階は古来より関に伝わる匠の技を、映像・資料・展示により紹介。関鍛冶の歴史や刀装具など、貴重な資料を公開。刀剣展示室には、関市を代表する兼元・兼定の日本刀などが多数並んでいた。

二階では、ハサミや包丁などの、近現代の刃物製品やカスタムナイフ作家のナイフコレクション、そしてSEKICUT、国内、海外のナイフ作家の作品がずらりと展示されていた。

最後は「関市円空館」。円空（一六三二〜一六九五）美濃（現・岐阜県羽島市）出生。慶安三（一六五〇）年の大洪水で母を失い、美濃郡勝村の高田寺で秘法を受けて出家した遊行僧。富士山や伊吹山などに籠る。蝦夷地に渡ったのは寛文五（一六六五）年、目的は霊場に詣で、地神山神に経文を唱え、自ら刻んだ仏像を、各地で民衆を教化しながら奉納することで、二年間滞在して洞爺湖観音堂、熊石根崎神社、木古内佐女川神社、函館称名寺、上ノ国観音堂、茂辺地曹渓寺、福島吉野教会などに約五〇体を遺している。

丸太の厚材を割り、その割れ目を生かした彫刻は、当時の職業仏師の作品には見れない独特の精神性と芸術性をもっている。

円空上人が関市に残した仏像を多数展示。まわりには晩年過ごした弥勒寺やお墓、入定塚、弥勒寺遺跡などがあった。

修行僧であった円空上人は、三度も高賀の里を訪れ、この地で入定する決意を固め、最後の作品「歓喜天」を彫っている。円空入定塚、弥勒寺再興六四歳を迎えた円空上人は、元禄八（一六九五）年弟子にその志を受け継がせ、この地に即身成仏の素懐を遂げるため、念仏を唱えつつ土に埋もれ入定を果たした。

『源平盛衰記』を読んで

鎌倉時代の軍記物語『源平盛衰記』はよく読まれている。「道」俳句会・源鬼彦主宰は源義仲（みなもとのよしなか、一一五四〜八四、通称・木曽義仲）の後裔。

高澤は平維盛（たいらのこれもり、一一五八〜八四）に仕えていた武士・高澤平十郎の末裔で、両家とは嫌壓であった。

源平の合戦は治承四（一一八〇）年に以仁王の令旨を受けた諸国源氏の挙兵から、元暦二（一一八五）年三月二四日、長門国壇ノ浦（下関市）に平氏一門が壊滅するまで、源平両氏による一連の戦闘である。

平維盛を総指官とする平軍は、源頼朝が大軍を率いて駿河国に迫まり、富士川を渡る際に追撃しょうと構えていたが、治承四年一〇月二〇日夜半、突如として舞い上がった数万羽の水鳥の羽音が、大軍の来襲と誤認し、戦わずに壊走した。

一方、同年九月七日に木曽義仲は挙兵し、信濃の武士・笠原頼直を破る。

寿永二（一一八三）年四月二七日、平維盛が木曽義仲が籠もる燧ヶ城（越前）を陥す。その反戦として同年五月一一日に木曽義仲軍が、砺波山の倶梨伽羅峠で立て籠もる平維盛軍を、火牛攻めの夜襲で打ち破っている。

この両軍の争いを読んで気掛かりだったので、昭和四九年八月に、富山県西砺波郡宮島村大字屋波牧村（現在の小矢部市屋波牧）に高澤家先祖代々の墓があるので訪れた。

祖父の惣次郎は万延元（一八六〇）年に高澤平左衛門の四男として生まれた。そこは砺波山倶梨伽羅峠近くで、木曽義仲軍に破れた平維盛の武士だった高澤平十郎の落ち延びた場所である。矢波川に沿った僅かな傾斜地に、田畑が区切られ数軒の民家。惣次郎は家督を継げず、明治三二年に札幌郡江別村篠津太屯田公有地に小作人として入植。石狩川沿いの樹林雑草帯で一〇町歩の過酷な開墾が始まり、そこで私は昭和七年四月に生まれた。

砺波山倶梨伽羅峠へは、平成二一年五月に行ってみた。頂上付近には不動寺、五社権現の石屋四棟があり、古戦場の猿ヶ馬場には二頭の牛の角に松明を付けた像、戦いに破れた平維盛の供養塔、谷に落ち込む合戦図など敗戦ぶりが描かれていた。

そこに元禄二（一六八九）年八月に、越前の燧ヶ城で松尾芭蕉が詠んだ句碑があった。

義仲の寝覚の山か月かなし　芭蕉

燧ヶ城は砺波山合戦の前、四月二七日に義仲が立て籠もって平家軍が破れた場所。義仲は体制を立ち直し、倶梨伽羅峠で大勝して京都入り。征夷大将軍になるが、源頼朝との不仲で、寿永三年一月二〇日に、従兄弟の源範頼、義経に攻められ、近江の栗津で敗死（三一歳）。芭蕉は義仲の運命を嘆いて詠み、栄枯盛衰を物語っている。

義仲が死亡した際、辞世の言葉を残している「日頃は何とも覚えぬ鎧が、今日は重うなったるぞや」。この源義仲の死亡した滋賀県栗津へ、追悼取材で訪れたいと思っている。

幼少期の木曽義仲と興亡三年

木曽義仲の幼名は駒王丸、父は源氏の棟梁為義の次男義賢である。為義の兄義朝との不仲から、義賢は義朝の長子悪源太郎義平に不意に襲われ、久寿二（一一五五）年駒王丸二歳の秋に死亡した。

義賢の捕殺は東国各地に伝わり、駒王丸は畠山庄司重能に捕らえられたが、どうにも不憫で殺せなかった。重能は駒王丸を斉藤実盛に預けた。実盛も源の家人であるので、東国にいつまでもかくまうことは出来ず、密かに東国を離れ、中原兼遠を頼って木曽谷に忍んでいった。亡命先の兼遠の庇護で、孤児駒王丸は木曽山脈の木曽谷で逞しく育った。やがて、一三歳で元服して木曽次郎義仲と名乗る。兼遠の子には兼光・兼平・巴の兄妹がいた。義仲は彼らと肉親同様に愛情で固く結ばれ、終生の誇りとして運命を共にする。このように義仲は二〇数年を秘められた山間で過ごした。

その間、父と討った義朝父子は〔保元の乱〕（鳥羽法皇と崇徳上皇は皇位継承で対立。法皇が死ぬと上皇は源頼長と結ぶ。後白河天皇は源氏の兵をもって上皇を破った）の功績により京都の政界での武士の地位を一段と高めた。

その繁栄も束の間で〔平治の乱〕（後白河法皇をめぐって藤原通憲は平清盛、藤原信頼は源義朝と結んで対立。通憲・義朝は殺され源氏は衰退。平家は全盛をきわめた）の敗戦により、競争相手の平氏の総師清盛の手で命脈を断たれ、源氏の勢力は衰退した。

治承四（一一八〇）年、義仲は木曽谷で二七歳の春を迎え、山伏姿に変装した叔父の源行家が突如訪れ「後白河法皇の第二皇子以仁王の命旨で、平清盛ならびに従類の反逆の輩を追討すべし」と伝えた。これを聞いた義仲は、戦うことに急回転するのである。

義仲は信濃の士豪を傘下に集め、北関東の亡夫の故郷上野まで勢力を収めた。

翌養和元（一一八一）年には平家の越後の大族城資茂を横田原で撃滅、越中・加賀・越前の中小武士団は木曽陣営に加わり、北陸の勇者として木曽義仲の名は燦然と輝いた。

寿永二（一一八二）年、衰運を一挙に回復せんと決意した平家は、根こそぎ動員した一〇万騎の大軍を、清盛・維盛・通盛を大将軍として北陸に殺到。加越国境の砺波山まで陣を進めたが、義仲特意の夜襲で一夜にして大半を倶利伽羅谷に屍となって埋まった。

義仲は京都入りしたが、政治的才能が無かったので、純情で無邪気な愚行を重ね、皇位継承問題に強引に割り込んでいったので、京都の人々は反義仲に急変した。

義仲は殺到する苦情に対し、「法皇を守るため、兵粮米として金持ちから余分な米を少々取り上げたとて、どこが悪いのだ。武士は特別に馬を大事にするからこそ、敵を破り城を落とすことができる。その馬に食べさせるために、青刈するのは悪いことではない。院や公家は、兵粮米を少しもくれないが、兵たちは少々物を奪ったとしても仕方がない」と述べている。

木曽義仲と巴御前の伝説物語

源義仲（通称・木曽義仲）軍は、寿永二（一一八三）年五月に砺波山の倶利伽羅峠で立ち籠もっていた平家軍を破って京都入り。武門最高の征夷大将軍となる。

不仲だった源頼朝は、翌年一月に従兄弟の源範頼、義経が京都に攻入り、法王はたいそう喜ばれた。義経は法王と面談し、畏まって「義仲は乱暴していると聞き、範頼・義経は六万余騎で攻め入りました。兄頼朝の命でございます。やがて義仲を討ち取ってお心をやすめたいと存じます」と力強く上申した。

義仲は戦に負けたので、家臣を二〇騎ほど連れて、御所に引き返すが、義経軍が守っているので、その中を死にものぐるいで戦い、僅か七騎だけが駆け抜けた。

その七騎の中に、色白の美女巴御前がいて義仲の妾。義仲の家来である今井四郎兼平の妹で、男まさりの女武者で、常に義仲に従い倶利伽羅峠では戦功を成し遂げている。

兼平軍は八百余騎で勢多橋を固めていたが、範頼勢に攻められ、僅か五〇騎ほどになっていた。京都へ引き返す途中、大津の打出し浜で、義仲の七騎と偶然にも行き会う。義仲は兼平に「私は京都で討ち死にすべきだった。それを、ここまで落ち延びて来たのは、お前と会いたかったからだ。一緒に死のう」。

義仲は巴御前にむかい「お前は女だ。一著に討ち死にすることはない」と云い聞かせると、巴は「どうしても一人で落ちて行く気にはなれません」と言い張ったが、義仲は聞かないので、

「それでは」と三〇騎ほどの敵の陣中に掛け入り、大将らしい者の首をねじり切り、その首を義仲に差し出して落ち延び、当時二八歳とも三二歳とも云われている。

義仲と兼平だけになって「兼平、どうも鎧が重くなったような気がしてならない」。兼平は「つまらぬ敵に組みつかれ、首を撃たれたら、木曽義仲の恥でございます。早くあの松林へお入り下さい」と戒めた。義仲は頷いてただ一騎、松原の方へ掛けて行った。

兼平もただ一騎となり、敵の中へと掛け入り、「木曽義仲の家来、今井四郎兼平、当年三三歳。恐らく頼朝公もご存じであろう。この首を取って、お目にかけよう」と名乗りながら、たちまち八騎を切り付けた。

義仲はただ一騎で栗津の松原に掛け入り、元暦元（一一八四）年正月二一日の夕暮れ時で、ひどく寒く泥田は一面薄氷が張り詰め、そこへ義仲は馬と共に入った。底知れぬ深い泥田で、馬の首まではまり込むと、そこへ一本の矢が額の真ん中に突き刺さり死亡した。三一歳だった。

この矢は三浦田次郎が射ったもので、義仲の首を取ると、これを太刀の先に突き差し、高々と上げながら「鬼神とうたわれた木曽義仲を討ち取った」と大声で叫んだ。

それを聞いた兼平はがっくりとなり、「ああ、万事お終いだ」と、太刀の先を口にくわえ、馬から飛び下りて死去した。

巴御前は帰国後、出家し尼となり、越後の国に移り住み九一歳まで生き延びた。長野県徳音寺に義仲と巴の墓がある。

滋賀県大津市の木曽義仲墓地を訪ねて

平成三一年四月二五日に京都駅からJR東海道本線に乗車、観光地琵琶湖沿いの膳所駅で下車、北口から歩いて五分の所に義仲寺がある。切妻造り本瓦葺きの山門を入ると、樹木が茂り、楕円形の大きな葉のバショウ植物も繁茂。境内には朝日堂、翁堂、無名庵や文庫などが建ち並び、松尾芭蕉の辞世句といわれる／**旅に病で夢は枯野をかけ廻る**／の句碑も立っていた。

朝日堂は義仲寺本堂で、本尊は木彫聖観世音菩薩、義仲公、義高公父子の木像を厨子に納める。義仲公、今井兼平、芭蕉翁、丈艸諸位を合わせて三一柱の位牌を安置している。

屋外には義仲公墓（木曽塚）が土壇の上に宝篋印塔をすえる。芭蕉翁は木曽塚ととなえた。

義仲公の忌日「義仲忌」は、毎年一月の第三土曜日に営んでいる。

その横に木曽義仲の側室巴御前の塚、武勇すぐれた美女で、部将として義仲を助けた。入口の左には山吹塚があり、義仲の側女山吹御前の塚である。

芭蕉翁墓、松尾芭蕉は元禄七（一六九四）年一〇月一二日に大阪の旅舎で没し、享年五一歳。遺言に従って遺骸を義仲寺に葬るため、その夜、去来、基角、正秀ら門人一〇人が遺骸を守り、川舟に乗せて淀川を上り伏見に至り、一三日午後義仲寺に入る。一四日葬儀、深夜ここに埋葬。門人ら焼香者八〇人、会葬者三〇〇余人に及んだ。

芭蕉翁の忌日は「時雨忌」といい、当寺の年中行事で現在は旧暦に合わせて毎年一一月の第二土曜日に営む。

翁堂は正面祭壇に芭蕉翁座像、左右に丈艸居士、去来先生の木像、側面に蝶夢法師も安置する。正面壇上に「正風宗師」の額、左右の壁上には三六俳人の画像を掲げ、天井の絵は、伊藤若沖筆四季花卉の図である。

翁堂は蝶夢法師が明和六(一七六九)年一〇月に再興、翌七年に画像が完成。安政三(一八五六)年類焼、同五年に再建。現在の画像は明治二一年に穂積永機が、類焼したものに似た画像を制作し奉納された。

昭和五一年に、無名庵、栗津文庫を拡張新造し、資料館、手洗所を新築し、防火用水の設備等も施工した。

義仲寺境内には二〇基の句碑が設置されていたので、一部分を除いて紹介しょう。

古池や蛙飛こむ水の音　芭蕉
しぐれても道はくもらず月の影　紫金
おもふまま月夜にあひぬ遅さくら　車友
行燈のひとり消けりけさの秋　乙也
よい処へちればさくらの果報かな　蟻洞
葉を配るその根やここに冬木立　角上
むべ三顆翁を祀るけふにして　方堂
木曽殿と背中合せの寒さかな　又玄
木曽塚の夏艸ひくも宿世かな　兼輔
鶯のほつと出らしき初音哉　柄翁
栗津野に深田も見えず月の秋　露城
月の湖鳰は浮たりしづみたり　魯人
鶯の頻に鳴くや雨の花　基桃
身のほどを帰り見る日ぞ初しぐれ　羽州

京都国立博物館・国宝一遍聖絵を閲覧

京都国立博物館で「国宝一遍聖絵と時宗の名宝」展が、前期平成三一年四月一三日〜五月一二日、後期は五月一四日〜六月九日と展示品を入替ながら開催。私は四月二七日に拝観した。「出品一覧」に一三二点が列記、開催趣旨は「京都国立博物館だより」から抜粋すると全国を遊行し、阿弥陀の名を記した札を配る「賦算」や、念仏を唱えながら輪になって踊る「踊り念仏」などでもよく知られる時宗は、鎌倉時代後期に宗祖一遍によって開かれた。一遍自身は遊行を自分一代限りと考えていたが、一遍が亡くなり時宗が教団として整備し、発展させたのが二世の真教でした。今年はその真教が亡くなってから七百年というご遠忌の年にあたり、それを記念して、時宗とゆかりの深い京都で、戦後初となる特別展を開催します。

本展は五章構成。第一章「浄土教から時宗へ」では、時宗の信仰へとつながる日本での阿弥陀信仰とその美術をふりかえります。法然ゆかりの「阿弥陀如来立像」をはじめとする浄土宗の宝物や、時宗信仰の根幹といえる善光寺阿弥陀、当麻曼荼羅や「二河白道図」なども展示します。

第二章「時宗の教え　一遍から真教へ」では、両上人の肖像や踊り念仏を描いた作品によって、時宗初期の様相をうかがいます。踊り念仏を描く大和文華館所蔵の「遊行上人縁起絵断簡」は近年の研究で、失われたオリジナルの断簡の可能性が指摘されています。また「真教上人書状」などを通じて、知られざる真教の事績にもスポットをあてます。

第三章「一遍聖絵の世界」では、国宝「一遍聖絵」全一二巻を四つの展示室をつかって展示します。

第四章「歴代上人と遊行　時宗の広まり」では、真教以降の智得、呑海、一鎮ら歴代の遊行上人ゆかりの作品を通じ、全国へ時宗が広まっていく様相です。小田原蓮合寺の「真教上人座像」、京都長楽寺の「一鎮上人座像」など、歴代上人の肖像彫刻は、七条仏師など当時の有力仏師によるものも多く、本人の特徴をよく伝えています。

第五章「時宗の道場とその名宝」では、遊行寺の名でも知られる藤沢道場清浄光寺、京都の四条道場金蓮寺、七条道場金光寺など、各地の道場に伝えられた宝物の数々、また時宗道場を描いた国宝の「洛中洛外図屏風」も展示します。

感銘を受けた作品

「一遍聖絵」巻六　富士山が絵がれた場面
竹内雅隆筆　模本　京都国立博物館蔵

「一遍聖絵」巻一一　丹伊筆
淡路での踊り念仏の場面　神奈川・清浄光寺（遊行寺）蔵

「洛中洛外図屏風」船木本
岩佐又兵衛筆　東京国立博物館蔵

一遍上人座像
建武元（一三三四）年　康俊作　京都・長楽寺蔵

京都文化博物館の浮世絵展を閲覧して

平成三一年四月二六日に京都文化博物館で「美を競う　肉筆浮世絵の世界」が開催されていたので立ち寄った。

出展浮世絵師は、宮川長春、月岡雪鼎、司馬江漢、磯田湖龍斎、北尾重政、鳥文斎栄之、葛飾北斎、祇園井特、溪斎英泉、歌川広重、歌川国芳、月岡芳年ほか。

開催趣旨は、鮮やかな色彩で摺られた版画のイメージが強い浮世絵ですが、肉筆画は量産される錦絵の版画と違い、浮世絵師が絹本・紙本に直接描く一点物。本展では貴重な肉筆画を、美人画を中心に約一一〇点展示。絵師の手によって華麗な衣装の文様まで精緻に描かれた、濃密で、優美な浮世絵の世界を楽しむことができます。

国内でも有数の肉筆浮世絵コレクションを擁する、岐阜県高山市の光ミュージアム所蔵の珠玉の名品は今まで一挙公開される機会がなかったため、本展が初の大規模公開となります。―とある。

浮世絵は明暦三（一六五七）年一月の江戸大火、いわゆる振袖火事以降に誕生したのである。江戸城下のほとんどが焼き払った大火の後、新しい都市計画のもとに醸成され、絵画化した浮世絵であった。当時は浮世絵を「江戸絵」とも云われていた。吉原遊廓で花魁の姿を見た人はごく一部で、金持ちに限られていたであろう。

江戸時代に庶民に育てられ、愛された浮世絵は、現在、世界中の人びとに親しまれ、海外各地で専門の浮世絵学者が活躍。巨額の費用を投じて浮世絵作品の収集を競い合い、欧米大都市では相継いで浮世絵展を開催している。

また近年は浮世絵熱の高まりで、中国語や韓国語の浮世絵の解読書も発売されている。浮世絵に対する国際的な愛好と理解は、一九世紀後半からで西洋社会を席巻した、モネ、ドガ、ゴッホ、ピカソまでが、浮世絵の美学に魅せられ熱狂したのである。

今回の展示で花魁を描いたのは、祇園井持「紐を結ぶ女」、月岡雪鼎「遊女」、歌川国芳「縁台美人」、宮川長春「立ち美人」、溪斎英泉「立ち美人」、川村豊信「精霊祭」などである。

著名な浮世絵師を略記すると

磯田湖龍音、江戸中期の浮世絵師、鈴木春信と親交を深め一時春広と号した。春信没後「雛形若菜の初模様」シリーズを版行、晩年は肉筆画に専念した。

歌川広重、江戸後期の浮世絵師、両親を失って二年後の一五歳から浮世絵に専心。当時役者絵や美人画で一世を風靡した。歌川豊広の門人となる。

葛飾北斎、浮世絵師、安永七（一七七八）年に勝川春章の門に入り、奇抜な発想で大胆な構図で風景画、浮世絵版画を中興した。

北尾重政、江戸後期の浮世絵師、ふくよかで気品のある美人画で評判となり、北尾派を開いた。

司馬江漢、江戸後期の洋風画家、蘭学者、絵の初めは狩野派で学び、更に鈴木春信風の美人画を描く。

日本・オーストリア国交のはじまり

東京都に港区立郷土歴史館が東京メトロ南北線・都営三田線白金台駅近くにあり、展示会「日墺修好一五〇周年記念　日本・オーストリア国交のはじまり―写真家が見た明治初期の日本の姿―」展が令和元年一〇月一九日から一二月一五日まで催されていたので、一一月一八日に閲覧してきた。

明治二年一〇月一八日にオーストリア＝ハンガリー帝国と日本の間に、修好通商航海条約が締結された。来日したオーストリアの東アジア遠征隊には、写真家のヴィルヘルム・ブルガーと、その弟子ミヒャエル・モーザーが随行し、当時日本で撮影・収集したガラスネガは、オーストリア国立図書館に保管されていて、東京大学史料編纂所の調査により、ガラスネガを最新のデジタルカメラで撮影した高精細な幕末・明治初期日本風景の貴重な写真展である。

展示は三部構成。第Ⅰ部　初期日墺関係の歴史　四二作品。第Ⅱ部　ブルガーとモーザーのコレクションにみる幕末・明治初期日本風景、四五作品。第Ⅲ部　港区立郷土歴史館所蔵コレクションにみる幕末・明治初期日本、三九作品がずらりと並び圧巻、良くもこの時代にこんな立派な写真が撮れたものと感動。

その作品を列記すると

第Ⅰ部　初期日墺関係の歴史

◎カール・フォン・シェルツァー著『オーストリア・フリゲート艦ノヴァラ号の世界周航』東

アジア遠征隊に同行した著者の報告書
◎ペッツ提督肖像、遠征隊提督アントン・ファン・ペッツ男爵
◎明治天皇宛、オーストリア・ハンガリー帝国皇帝感謝状、ベッツ男爵が謁見した際に、明治天皇は永久親睦を望む宸翰を手渡した。
　羊皮紙にドイツ語で書かれている
◎墺行日記　明治六年一月、ウィーン万博の参加者は仏船で横浜を出港し、スエズ運河を経て墺領トリエステ港に到着。その航海記で著者は近藤真琴
　第Ⅱ部　ブルガーとモーザーのコレクションの中の幕末・明治初期の風景
◎ヴィルヘルム・ブルガー像、芸術アカデミーで画家を目指し、叔父の影響で写真に転じ、東アジア遠征隊へ参加
◎ミヒャエル・モーザー像、ブルガーの助手として来日し、日本に六年半ほど滞在、明治六年のウィーン万国博覧会では、日本政府に雇われて通訳を務めた
◎愛宕山から東を望む風景、手前の大名屋敷は、明治四年の廃藩置県を経て取り壊されつつあった、翌五年二月の大火で焼失
◎モーザーの日本部屋、実家の一室に置かれた日本みやげの数々。日本の想い出を大切にしていた
　第Ⅲ部　港区立郷土歴史館所蔵コレクションにみる幕末・明治初期日本
◎増上寺本堂、明治五年八月に本尊ご開帳が行われ、翌六年一二月の火災で焼失

東京都美術館でムンク展を閲覧

東京都美術館で「ムンク展—共鳴する魂の叫び」が、平成三〇年一〇月二七日から翌年一月二〇日まで開催された。今回はオスロ市立ムンク美術館が所蔵する生涯の作品約百点を展示すると予告され、折よく東京で一一月一七日に、日本山岳文化学会大会が催されたので出席し、翌日、美術館に訪れて羽田空港経由で帰宅した。

展示会場は多くの人で混雑、全作品を閲覧するのは儘ならず、販売していた図録『ムンク展—共鳴する魂の叫び』A4判、二三〇頁、消費税込み二千四百円を購入した。目次は①ムンクとは誰か　②家族—死と喪失　③夏の夜—孤独と憂鬱　④魂の叫び—不安と絶望　⑤接吻、吸血鬼、マドンナ　⑥男と女—愛、嫉妬、別れ　⑦肖像　⑧躍動する風景　⑨画家の晩年。この掲載画と展示品を対比しながら拝観してきた。

ゴドヴァルド・ムンクは一八六三年に軍医クリスチャンと妻ラウラの長男として生まれた。家族の死を体験した病弱な幼少期を経て、ノルウェーの都市クリスチャニア（現在のオスロ）で画家として歩み始めた一八八〇年代、そして第二次世界大戦終戦の前年に孤独な死と遂げるまで、その画業は六〇年に及ぶ。その間、画家はクリスチャニアとフランスのパリ、ドイツのベルリンなど欧州各地を行き来し、賛否両論を巻き起こしつつ、一八九〇年代から次第に国際的な評価を築いた。

二〇世紀における表現主義の潮流の先駆として位置づけられるムンクの作品は、晩年ナチス・ドイツにより頽廃芸術の烙印を押される一方、自身はノルウェーの国民的な画家となった。今やムンクは、「叫び」を描いた画家として世界中で知られている。一八九三年作である。「叫び」誕生の経緯を次のように書き残している。

夕暮れに道を歩いた―、一方には町とフィヨルドが横たわっている、私は疲れていて気分が悪かった―、立ちすくみフィヨルドを眺める―、太陽が沈んでいく―雲が赤くなった―血のように、私は自然をつらぬく叫びのようなものを感じた―、叫びを聞いたと思った、私はこの絵を描いた―雲を本当の血のように描いた―、色彩が叫んでいた、この絵が〈生命のフリーズ〉の《叫び》となった。

前景に、両耳をふさいで大声で叫んでいる人物を配し、遠近法を大胆に用いた構図や、燃えるような空の表現。クレヨン画、テンペラとクレヨンによる作品、パステル画、リトグラフ（石版画）の四作品が遺されている、

欧州各地で制作や展示に励む傍ら、ムンクは酒に浸り、健康と精神を蝕まれながら、放浪生活を続けていく。一九〇二年、帰国中に結婚を迫る女性との破綻に際し、銃の爆発事件が起こり、ムンクは左手指の一部を失う。一九四四年一月にオスローの自宅で死去され、八一歳であった。

東京都美術館でクリムト展を開催

東京都美術館で平成三一年四月二三日から令和元年七月一〇日まで「クリムト展　ウィーンと日本一九〇〇」を開催。ウィーンのベルヴェデーレ宮オーストリア絵画館の所蔵品を中心に、クリムト没後一〇〇年と日本とオーストリア友好一五〇周年記念イベント。

グスタフ・クリムトは文久二（一八六二）年ウィーン郊外で生まれる。明治一六年に工芸美術学校を卒業。三〇年に保守的な造形芸術家協会を脱退し、ウィーン分離派を結成。三四年に「ユディトⅠ」を制作し、初めて金箔を使う。三八年に分離派を脱退、オーストリア芸術家連盟結成。大正七年に脳卒中で倒れ、入院中に肺炎で死去、五五歳であった。

生涯に残した作品（油彩）は約二二〇点、ナチス・ドイツに接収されたり戦禍で喪失され、現存作品は僅か。今回の展示は二五作品が並ぶ。

写実的でアカデミックな画風から出発したクリムトだったが、やがて金箔を多様する「黄金様式」の時代を経て、装飾的で抽象的な色面と人物を組み合わせた独自の画風を確立し、ウィーン・モダニズムとして活躍。今回の展示では初期の自然主義的な作品、ウィーン分離派結成後の「黄金様式」時代の作品、甘味な女性像、数多く手掛けた風景画まで、幅広い作品が集められている。

なかでも「黄金様式」は時代の代表作〔ユディトⅠ〕、ユディトとは旧約聖書外典『ユディト記』の主人公で、敵将を泥酔させ首を刎ねて町を守ったという女性で、命がけで町を守護した英雄、一九世紀末にもてはやされた〈ファム・ファタル（宿命の女）〉、つまり男を滅ぼす悪女として描かれており、その匂い立つような妖艶性と官能性はひときわ目を惹きます。

（超大作〈ベートーヴェン〉の精巧な複製が展示され見所の一つ。原画は楽聖ベートーヴェンに捧げられた「ウィーン分離派第一四回展」のために制作された壁画で、全長三四メートルもある。ベートーヴェンの交響曲第九番に基づき「幸福への憧れ」「敵対する勢力」「歓喜の歌」の三つに分かれている。

「アッター湖畔のカンマー城Ⅲ」は、湖畔に立つ城を、印象派のように点を軽やかに重ねて描いている。紙の一部を正方形にくりぬき、その穴から見えた風景を、正方形のキャンパスに描き、奥行を感じさせず、景色そのものの魅力を写し出している。

「接吻」が国に買い取られ、名声を得たクリムトだが、晩年の色彩には変化していく。第一次世界大戦が勃発後、過去に金の背景で描いた「死と生」を暗く塗り直している。時代が変わり、創作意欲の衰えを憂えていた。

五五歳で亡くなる直前に描いた「赤子（ゆりかご）」は、一人の新しい生命を大切に守るように布が何枚も積み重ねられている。全体の色みは控え気味だが、豊富な色彩で日本の着物を思わせるエキゾチックな装飾である。

この展示会は好評で、七月一〇日に閉幕して開催日は七三日間、入場者数は五七万七八二八人であった。

東京国立博物館で名作誕生展を閲覧

平成三〇年四月から五月にかけて東京国立博物館で特別展「名作誕生―つながる日本美術」を開催。五月一二日の朝日新聞に「来場者十万人を超す」、二三日には「皇太子さま鑑賞」と報じられた。

私は五月二六日に日本山岳文化学会総会に出席し翌日訪れた。大勢の閲覧者で混雑していたので、間近で見られず図録『名作誕生―つながる日本美術』を購入して、対比しながら拝観。美術を楽しむには歴史的な背景を知る必要がある。八世紀の奈良時代から大正一一年までの国宝や重要文化財を含め一三〇点が展示されていた。

第一章「祈りをつなぐ」では、薬師如来立像（頭頂から台座まで一本の木で造り、像高一六四・八センチ、奈良～平安時代作、奈良県の元興寺所蔵）。また、大画面に描かれた祖師絵伝、聖徳太子絵伝など革新的な二七作品が並ぶ。

第二章「巨匠のつながり」では、日本美術史上の巨匠である雪舟等揚、俵屋宗達、伊藤若沖が、海外の作品や日本の古典から学び、継承と創造を重ねた作品が三九点。室町時代に活躍した雪舟の「天橋立図」「溌墨山水図」（大阪・正木美術館所蔵。ひときわ濃い墨で荒々しく塗られた山々、たっぷり墨を含ませた筆で主要部分を勢いよく大胆に描き、細部は硬筆を加えた技法である）に感銘を受けた。

第三章「古典文学のつながり」、日本を代表する古典文学である「伊勢物語」（平安前期の歌物語）

や「源氏物語」（平安時代の長編物語）は有名である。江戸時代に描かれた「伊勢物語八橋図」尾形光琳筆、「蔦細道図屏風」深江芦舟筆、「色絵竜田川文透彫反鉢」尾形乾山筆など一〇作品。「源氏物語手鑑夕顔図」土佐光吉筆、「源氏物語初音図」板谷桂舟筆など一二作品が並ぶ。

最終の第四章は「つながるモチーフ・イメージ」、絵画・工芸を「山水」「花鳥」「人物」「古今」の四テーマに分け、中世から近世、近世から近代へと受け継がれてきた名作の型や挑戦的な手法によって誕生した優れた四三作品を紹介。山水をつなぐでは「富士三保松原図屏風」（狩野山雪筆、六曲一双、紙本墨画、縦一五三・五、横三六〇・〇センチ、江戸時代作、静岡県立美術館所蔵。右に愛鷹山、左側の富士山は雪が積もり目立った存在。清見寺を詳しく描写し、その一角に「山雪始めてこれ図す」と記してある）。また「吉野山図屏風」渡辺始興筆も素晴らしい。

最後は岸田劉生筆「野童女」油彩、縦六四、横五二センチ、大正一一年作、神奈川県立近代美術館寄託。見慣れた作品で興味深かった。

この美術展の成立は、明治二二年一〇月に創刊した『國華』が今年で一三〇年、それを支援してきた朝日新聞社は創刊一四〇周年を記念。それと会場の東京国立博物館の三者協力によって実現したのである。世界最古の美術雑誌『國華』は、岡倉天心の創刊の辞「夫レ美術ハ國ノ精華ナリ」と述べられ、それに依って誌名が付けられた。

東京国立博物館で日本美術の名品展

令和元年五月三日から六月二日まで東京国立博物館で、特別展「美を紡ぐ　日本美術の名品―雪舟、永得から光琳、北斎まで―」が催され、五月二〇日に閲覧してきた。

趣旨は、わが国で大切に守り伝えられてきた日本美術の精華を、東京国立博物館、文化庁、宮内庁三の丸尚蔵館の所蔵品から選び、狩野永徳筆「唐獅子圖屏風」をはじめ、雪舟等揚、尾形光琳、葛飾北斎らによる珠玉の作品を展示。

本展は文化庁、宮内庁、読売新聞社が進める「日本美を守り伝える『紡ぐプロジェクト』―皇室の至宝・国宝プロジェクト―」の一環として開催。新しい令和が始まる本展は、国内外の多くの人々が、日本の美と日本文化の魅力や素晴らしさを感じる機会となれば―と記している。

感銘を受けた主な作品を紹介しょう。

◎**更級日記**　藤木定家筆、鎌倉時代作、一帖、紙本墨書、縦一六・四、横一四・五センチ。藤原定家（一一六二～一二四一）は後鳥羽天皇の近臣であり、和歌、古典書写や校訂における功績者である。『更級日記』は王朝貴族の一女性・菅原孝標の女の回想記である。

◎**秋冬山水図**　雪舟等揚筆、室町時代作、二幅、墨画、縦四六・三、横二九・三センチ。雪舟（一四二〇～一五〇六）の室町時代に活躍した禅僧画家、日本の水墨画は一三世紀に始まる中国からの導入。雪舟は山水画の構図や筆到に魅力がある。画面下端から上端へと、視線は近景から遠景へと誘導され、奥深い空間が表現されている。

◎唐獅子図屏風　狩野永徳筆、一六世紀作六曲二枚、縦一二三・六、横四五一・八㌢。織田信長や豊臣秀吉が国内を制した安土桃山時代に、狩野永徳（一五四五～九〇）の代表作、重厚な美しい金箔地に、岩間を闊歩する巨大な二頭の唐獅子は、目をしっかりと開いて見据え、鬣や尾をたなびかせ、威風堂々の様である。

◎伊勢物語　八橋図　尾形光琳筆、江戸時代作、一幅、絹本着色、縦九五・七、横四三・三㌢。尾形光琳（一六五八～一七一六）『伊勢物語』第九段、「東下り」の冒頭、八橋を取材した作品である。川岸に疎らに咲く燕子花、そして主人公や食事の用意をする従者たちの姿までが描かれいる。

◎西瓜図　葛飾北斎、天保一〇（一八三九）年作、一幅、絹本着色、縦八四・四、横二九・九㌢。北斎（一七六〇～一八四四）が八〇歳に描いた肉筆画、画面上部からくねりながら垂れ下がる西瓜の皮、その下には半分に切られた西瓜の上に、その真っ赤な果肉の果汁を吸い写した和紙。さらに包丁が載せられている―という不可思議な構図が魅力ある。

◎虎図　谷文晁筆、江戸時代作、一幅、絹本着色、縦一五〇・〇、横七四・一㌢。谷文晁（一七六三～一八四二）は、西欧から渡来したヨンストン著『動物図譜』の挿画の模写や伝統的な水呑虎の図様をヒントに描いたもの。谷は文化二（一八〇五）年に『名山図絵』全三巻を著している。

藤田嗣治の戦争画を回顧して

昭和一二年七月七日に日中戦争（支那事変）が勃発し、報道管理をしていた内閣情報部は、文筆家に従軍記者の派遣を要請、文芸家協会では希望者を募った。藤田嗣治は応募し、一三年九月に漢口攻略従軍作家派遣（ペン部隊）海軍組に参加。中国に派遣され、翌月帰国後、二枚の戦争画を描いている。

昭和一四年四月に妻と共に横浜を出航し、アメリカ経由でパリに帰る。九月に第二次世界大戦勃発。一五年五月にパリを脱出し、マルセイユからの帰国船で日本へ。九月に満蒙国境のノモンハンを取材。

昭和一六年一月、父・嗣章死去。帝国芸術院会員となり、戦争画の制作を任命された。七月の第二回聖戦美術展に、昭和一四年五月に起こったノモンハン事件、満州国とモンゴル国の国境紛争を題材とした絵画「哈爾哈河畔之戦闘」を出品。緑と草原の中、日本軍の兵士がソ連軍の戦車によじ登り、開口部を銃剣でこじ開けようとしている姿を描いている。一〇月にフランス領インドシナに派遣され、一二月八日に太平洋戦争が勃発。

昭和一七年三月、陸軍省よりシンガポールに派遣され、「ブキ・テマ高地」など描く。五月に海軍省より東インドなど南方に派遣され、作戦記録画を制作。

昭和一八年五月二九日、アリューシャン列島アッツ島で米軍の逆襲を受け、無残にも日本軍守備隊二千五百人が玉砕攻撃で果てた。藤田はこの戦闘図を「アッツ島玉砕」と題して描く。

雪を抱いた孤島の山々を背景に、山崎保代隊長が日本刀を突きつけながら、突撃と叫ぶ大きな声が伝わってくる。米軍の死体が横たわる中を兵士が銃剣を突きつける乱戦画である。九月開催の「国民総力決戦美術展」に出展した。

昭和一九年七月、陸軍省報道部の指示で、藤田画を『絵巻・アッツ島決戦』として陸軍美術協会出版部から刊行された。秋に藤田宅は空襲を避けて神奈川県津久井郡子淵村藤野に疎開。

昭和二〇年四月、陸軍美術展で藤田は「サイパン島同胞臣節を全うす」を出品。これは前年七月のサイパン島での日本人の玉砕を伝えたもので、兵士たちの戦闘場面ではない。当時サイパン島には日本人約二万五千人が滞在。米軍の総攻撃から一ヵ月後で飢えと疲労が極度に達し、島の最北端に追いつめられ、断崖から飛び込み自殺する女性や銃や手榴弾で自決しょうとする男性たち、幼い子供たちの姿など、尊い命が奪われていく悲劇を描いている。空襲で藤田の麹町の自宅を焼失。八月一五日に藤野で終戦を迎える。一二月、GHQ嘱託としてアメリカに移送されることになった戦争画の収集に協力。

昭和二一年四月、日本美術会が結成され、美術界の戦争責任の追及が始まる。藤田はパリ行きを準備、フランス領事館に査証を申請する。

昭和二二年二月、GHQによる戦争犯罪者リストが公表され、藤田の戦犯容疑は解除された。

北海道立近代美術館で「拝啓、藤田嗣治様」展を開催

北海道立近代美術館で平成三一年三月三〇日から令和元年七月二八日まで「拝啓、藤田嗣治様―フランク・シャーマンと藤田、戦後の交友をめぐって」が開催された。

藤田嗣治(一八八六～一九六八)は東京生まれ。明治四三年に東京美術学校卒業、三年後に渡仏、パリに定住してモジリアニ、スーチンらと交わり、大正八年にサロン・ドートンヌ会員、一〇年に監査員となる。当時、乳白色の下地、面相筆による細い描線を特徴とする特異な画風を描く。昭和九年に帰国し二科会員に推され、第二次大戦中に陸軍省報道部の指示で『絵巻・アッツ島血戦』の画集を作成。二四年に渡仏、フランスに帰化し、レオナルド・フジタと名乗って活躍された。三四年にパリに近いヴィリエール・パルクにアトリエを築き四三年に没した。

フランク・シャーマン(一九一七～九一)はマサチューセッツ州ボストンで生まれ、姉から日本文化を勧められ日本に憧れを抱く。戦後昭和二〇年一一月にGHQの民政官として東京に着任、アメリカ本土から届くグラビアや雑誌を再編集。戦争責任を問われ傷心した藤田の日本脱出に協力。美術品のコレクターで藤田の絵画など多くを収集し、平成三年に韓国で没した。

今回の藤田作品の出展は、第一章　シャーマンが捉えた藤田嗣治―そのアルバムから一〇作品。コレクションには何冊ものアルバム、写真、フイルムがある。シャーマンはカメラを肌身離さず携行し撮影。本展ではアルバムを通して戦後の藤田の姿を表現。

第二章　シャーマンコレクションに見る藤田―作品、「シャーマンコレクション」と命名し

たのは藤田で、作品、資料、書簡　一二作品、藤田からの手紙、藤田が贈った猫を描いた作品、交流のあった芸術家から譲り受けた作品などを展示。

第三章　シャーマンが魅せられた浮世絵、前期三月三〇日〜五月二六日、後期六月八日〜七月二八日で、前期一九作品、後期二〇作品と入れ替える。藤田とシャーマンは一緒に下町の職人街や骨董屋を巡り、シャーマンは日本の職人芸や独特の美意識が生んだ古美術の魅力に目覚め、浮世絵の収集に熱中し多くの浮世絵が残された。

第四章　戦後の藤田嗣治―フランスの晩年

四作品、戦争画問題で四面楚歌となった戦後の藤田は、日本を離れて渡仏することを望み、シャーマンの尽力で渡米した。その後、念願のフランスへと回帰し国籍を取得、キリスト教に改宗してレオナルド・藤田が誕生。展示は「平和の聖母礼拝堂」のリトグラフ、パンフレット、ステンドグラスが並ぶ。

北海道立近代美術館に隣接する北海道立三岸好太郎美術館で、令和元年七月一三日から九月四日まで「フランク・シャーマンコレクション―あるアメリカ人を魅了した浮世絵」を同時開催。百点を超す浮世絵のコレクションから、歌川国貞や歌川国芳、豊原国周、春好斎北州ら江戸後期から末期にかけて活躍した絵師たちの作品二五点を展示。

大本靖「北海道四季の風景」版画展

北海道文学館で平成三〇年一二月一日から翌年一月二〇日まで「大本靖の版画でたどる北海道四季の風景」展が催され、閲覧してきた。木版画七六点が並び、そのうち北海道各地の山は二三点飾られていた。

大本靖（一九二六〜二〇一四年）は小樽生まれで札幌で育つ。昭和二二年に上京、阿佐ヶ谷美術研究所で学び、翌年、明治大学に入学。昭和二九年四月に日本版画協会展に出品し初入選。一〇月に札幌で美術家一一人が集まり、札幌版画協会を設立して各地で版画展を開催。

私（高澤）は丸善㈱札幌支店に昭和二六年に入社、三階の丸善画廊を担当し毎週欠かさずに多くの画家たちの作品を展示していた。大本の版画展は昭和四三年、五三年、五八年、平成元年に開催。また東京本社の日本橋店でも平成七年に催し、翌八年に北海道知事から北海道文化賞を授与された。

版画展を閲覧して感銘を受けたのは、昭和三二年開催の全道展（北海道美術協会が主催し公募する美術展、昭和二〇年一二月から毎年開催）に出品し奨励賞を受賞した〈昭和新山〉である。この山は洞爺湖南岸の標高四〇八メートルの活火山、昭和一八〜二〇年に畑地が噴出した溶岩山である。大本はこの山に魅せられ、一週間、山麓の宿に泊まって、噴煙の上がる昭和新山に登ってスケッチを続けて仕上げた。

〈コバルトの摩周湖〉説明文には「春から夏にかけて道東は霧が多い。透明度四二メートルで世界第一位を誇るこの摩周湖を眺めるにはチャンスがいる。どこまでも透き通った湖水、色が変化に富んでいて、その美しさに魅了される」と記載されいた。

展示壁の下にショーケースが置かれ、俳句の短冊が飾られていて驚いた。

火山湖の雨脚あらしはたゝ神　　伊藤　凍魚

伊藤（本名は義蔵）は戦後の俳壇で活躍された方で、大正一一年九月に丸善札幌出張所を北大前に設置された先駆者である。私が丸善入社後は俳誌『氷下魚』の販売で何度もお会いしていた。

大本が北海道の風景を題材とした木版画に取組む契機となったのは、昭和三九年に日本愛書会から『蝦夷廿一景』の版画本編集依頼を受けてからである。

道内各地の二一作品を仕上げるために大雪山や阿寒の山々、湿原などを巡って実現した。そして自然の息吹を描く「心象風景」的な表現力は、熟練した技術によって繊細に描かれるようになった。

大本の探究心は尽きることなく、徹底した自然を見つめる真摯な姿勢を保ち続けていた。

末期の作品に羊蹄山がある。真狩村から描いたもので前景に緑の樹木を描き、視線を上へと導いていく。山襞は太古からの歴史を語り神秘的な感じを漂わせている。山のかたちは実際より縦に長く引き延ばし、残雪を抱いてより険しく聳えている頂上。代表的な見事な作品である。

北海道立近代美術館で相原求一朗展を開催

北海道立近代美術館で平成三一年四月一九日から翌月にかけて「生誕一〇〇年没後二〇年相原求一朗の軌跡―大地への挑戦―」が開催。配付されたパンフレットに「北海道の自然を描き続けた画家・相原求一朗（一九一八〜九九）の生誕一〇〇年にあたる二〇一八年、および没後二〇年になる二〇一九年を記念し、このたびその画業を紹介する大規模な展覧会を開催します。

大正七（一九一八）年、川越（埼玉県川越市）の商家の長男として生まれた相原は、家業を継ぐため一旦は美術の道を諦めました。戦争中は、兵役により多感な青春期に重なる四年半を満州の広大な荒涼とした大地の中で過ごします。

戦後、モダニズムの画家・猪熊弦一郎に師事したことで画家への道が開かれると、経営者を続けながらも、新制作家協会を拠点に画業に成熟させてゆきます。そして、原風景というべき満州の情景を彷彿させる北海道の原野に出会ったことで、相原の才能は覚醒するのです。

本展では、相原の約五〇年にわたる画業を初期から絶筆までの代表作約八〇点に愛すべき小品を加えながら、大々的に回顧します。心を揺さぶられる厳しい北海道の大自然を、モノクロームの色調ながら詩情豊かに描く相原芸術の神髄をどうぞご堪能下さい。この機会に、多くの方に相原作品の魅力を知っていただけましたら幸いです。

そして、「六つのストーリーでたどる、北の大地に魅せられた画家の生涯」と題して、①出発―画家を志して―一三作品。②覚醒―厳然と形のある抽象―五作品。③検索―ヨーロッパ・南アメリカの旅―一一作品。④原風景―北海道を描く―一二作品。⑤決意―ライフワークとしての北海道―一一作品。⑥再出発―大地への挑戦―一九作品。小特集として「小さな相原求一朗」二作品。「北の十名山」一〇作品が展示され、北海道の自然をこよなく愛し描き続けた作品は実に多かった。末尾に「北の十名山」があり、魅了されたので、この部分を詳記しよう。

帯広市に本社のある六花亭製菓㈱から平成元年に、北海道の山を描くよう依頼され、二年後の八月に河西郡中札内村に「相原求一朗美術館」をオープン。「北の十名山」その他の作品を加えて展示している。

この十名山とは、深田久弥の名著『日本百名山』に利尻岳、羅臼岳、斜里岳、阿寒岳、大雪山、トムラウシ山、十勝岳、幌尻岳、後方羊蹄山を記載。相原は阿寒岳を「雄阿寒岳」と「雌阿寒岳」の二座を加えたので十名山とした。そして、それぞれの山にユニークなエッセーが添えられている。

雄阿寒岳から抜粋すると、阿寒湖の湖面には、まだ名残りの氷が点々と浮いていた。アイヌコタンの土産物店は、まだ大部分の店は閉じていた。観光シーズンは、もう間近である。「マリモの歌」が流行ったのは随分昔のことである。あの頃はエゾ鹿を見ると、樹林の奥を指さしたりして興奮したものである。

手島圭三郎絵本画展を閲覧して

「手島圭三郎　北の大地に春の息吹を感じて」展は、平成三一年四月二七日から五月一二日まで江別市西野幌のセラミックアートセンターで開催された。セラミックアートとは「創作的な陶芸」を意味し、明治中期建設の野幌煉瓦工場や昭和二六年に高名な陶芸家である小森忍が、東野幌に小森陶磁研究所（北斗窯）を開設された。

それらを常設展示するためにアートセラミックセンターを建設。それから二五周年を経た記念特別展として、江別市在住の著名な手島圭三郎展を開催されたのである。

手島氏は昭和一〇年紋別市生まれ。三二年に学芸大学札幌分校卒業後、中学校教員として二〇年勤務され、五二年から画家・絵本作家として独立。現在まで三六冊を刊行。「しまふくろうのみずうみ」で日本絵本賞受賞。「カムイチカップ」で厚生省児童福祉文化賞受賞。「きたきつねのゆめ」でイタリア・ボローニア国際児童図書展グラフィック賞受賞。一九八七年ニューヨークタイムズ選世界の絵本ベストテン。「おおはくちょうのそら」で一九八八年ニューヨークタイムズの絵本ベストテンに入り、世界を舞台に活躍されていた。

絵については、小学校入学前から軍艦や飛行機を描いていた。大学では美術課程のある学芸大学に入学し絵を学ぶ。卒業後は教員となり、北海道の自然と動物をテーマにして描いていた。昭和五六年に東京の展覧会に出した「しまふくろうが湖で魚を獲っている絵」で、東京の出版社から本にするよう促され、「しまふくろうのみずうみ」を発行、以後、年に一冊ずつ出版している。

今回の江別での記念特別展では、額装版画五八作品、版画下絵など作業行程を六作品、原画の下絵として画用紙印刷を五九作品、製作過程の写真四枚、出版した絵本は日本語、中国語、英語、仏語、露語など含め約八〇冊がずらりと並び圧巻であった。

五月一一日午後二時から、手島氏の展示説明とサイン会があるので訪れた。私は昭和五〇年代は丸善㈱札幌支店の画廊担当をしていたので、手島氏との面談の際に「丸善画廊で展示しましたか」と、尋ねると「その思い出はあります。絵本も随分売って貰いました」と話されました。サイン会では平成二九年に東京・絵本塾出版から『手島圭三郎全仕事　木版画で極めた聖域・原始の森』を購入し、筆致巧みにサインされ捺印された。

この本は大きく二二・四センチ×一八センチ、二七二頁もある。その中から昭和五七年に発表されたデビュー作「しまふくろうのみずうみ」を紹介すると、山奥の湖や親子の梟を描いた木版画は二〇作品。その物語は親子のあたたかさが伝わる、島梟の生活を描いた物語で文字数はひらがなで約一五五〇字、書き出しを漢字で紹介すると「北海道の深い山奥に、誰も知らない湖がありました。湖の中では、魚が沢山泳ぎ回り、廻りの山には、熊や鹿や狐やいろいろな鳥が住んでいました」とある。

屯田兵で北海道で活躍した名越源五郎

安政三（一八五六）年に会津藩主松平家の藩士、名越源三郎の長男として会津で出生、藩校「日新館」で学ぶ。慶応四（一八六八）年の戊辰戦争で旧幕府軍に属していた会津藩は、白虎隊の悲劇で知られる会津戦争で敗退し、下北半島（青森県）に移住するが、不毛の地で生活は困窮を極めた。

明治六年一二月、開拓次官黒田清隆の建白書によって、屯田兵制度（北海道・樺太への移住者の保護と対露国防上で、軍備が必要なので、農地開拓と軍事制度）を発布。翌年三月に開拓使に屯田事務局が設置され、本州から次々と蝦夷地に移住された。明治一〇年の西南戦争（鹿児島士族が西郷隆盛を擁立し政府軍と戦う）では、移住者は九州に派遣され、各地で転戦し二七人の死者を出した。

明治一四年に源五郎は屯田兵制度を知り、職業軍人として志願。伍長となりリーダー役で、七月に募集された青森、岩手、山形の三県から、一九戸を従えて小樽に上陸。札幌までは汽車、そこからは徒歩で対雁へ、丸太舟で石狩川を渡って篠津屯田兵村に入った。

一行は指定された兵屋に入居。この篠津一帯は森林地帯で笹藪が覆う。源五郎は笹狩りから伐木までを手をとるように教え、この年は約六町歩が開墾された。

明治一九年に源五郎は少尉に昇進し、野幌屯田兵第二中隊本部に勤務。次いで輪西（室蘭）、永山（旭川）、江部乙（滝川）、和田（根室）、太田（厚岸）、野付牛（北見）、湧別、剣淵、士別と転勤し、指導監督として地域の発展に貢献した。

明治三七年に日露戦争が勃発。従軍し第七師団衛生大隊の中隊を指揮し大尉に昇進。翌三八年に職業軍人の役を降り、篠津に戻る。

源五郎が尽力した屯田兵制度も、開拓使が多額の赤字を抱え維持するのも困難となり、明治一九年に設置された北海道庁では、開拓を推進するには資本家の移住しかないと、広大な土地を富豪や華族、高級官僚に譲土していった。明治三〇年に「開墾地無償付与」制度が実施され、官僚、資本家たちが勝手気儘に広大な土地を抱えこみ、三年間に五町歩を耕すと無償で払下げられるので、東京に住む不在地主は小作人を雇って入植させた。

この篠津原野に私の祖父高澤惣次郎が小作人として、富山県西砺波郡宮島村から入植したのは明治三二年、当時の地名は札幌郡江別村大字篠津村江別屯田公有地であった。

名越源五郎は篠津に帰郷後、しばらく農業に従事していたが、村民の行政での活躍が期待され、明治四二年に江別村は一級町村制が施行され、村会議員の選挙によって第三代村長に選出された。

村長としての功績は、王子製紙の工業用電力を江別地域内に配電。舟で渡るしかなかった江別と当別、新篠津間の石狩川に橋を架設。人口は一万五千人に増加し、大正五年に町政施行。教育への熱意で町立中学校設置の問題で混乱し、一三年に引責辞任。町の財政難を知る源五郎は退職金を辞退された。昭和九年六月に逝去、遺骨は対雁墓地に埋葬された。

開拓使とサッポロビールの関係

札幌市中央図書館一階閲覧室で令和元年一〇月一〇日から一二月一〇日まで「開拓使とビールのおいしい関係」展が開催された。明治二年、東京に開拓使を設置、蝦夷地を北海道と改称。四年に札幌開拓使庁を設置し札幌官園を設置。五年、お雇い外国人のアンチセルが開拓使にホップ栽培を提言。六年に中川清兵衛がベルリンビール醸造会社で修業。七年、お雇い外国人ケプロンが開拓使にホップ栽培を勧奨。八年に村橋久成が麦酒製造所の建設場所を東京から札幌に変更するよう稟議。九年に開拓使が麦酒醸造所を開業。一〇年に開拓使が札幌にホップ園を設置し東京で札幌ビールを販売開始。一五年に開拓使廃止、函館・札幌・根室の三県を設置。一九年に三県を廃止し北海道庁を設置、札幌麦酒醸造場を大倉喜八に払下げ。二〇年に札幌麦酒会社を設立。それから一三〇年余、開拓使から現在に引き継いだ「サッポロビール」に関連した資料が展示された。

「開拓使とお雇い外国人」コーナーでは、開拓使日誌　全六冊、北海道の歴史と文書、お雇い外国人関係　六冊、明治お雇い外国人とその弟子たち　日本近代化を支えた二五人のプロフィショナル、その他六冊が並ぶ。

「開拓使麦酒醸造とホップ」コーナーでは、北極星をつかんだ男　村橋久成物語、日本のビール、ビールとホップ　苦闘と栄光の歴史、豊平町史、白石ものがたり、西岡部落史、なかのしま郷土誌など二六冊。

「サッポロビール関係」コーナーには、サッポロビール沿革史、サッポロビール一三〇周年記念誌、ビールと友情の七〇年　サッポロビール会七〇年の歩み、ビールのラベル、ビールのポスター、など三一点。

「札幌の工場―はじまりの場所―」コーナーでは、札幌歴史写真集　明治編、札幌市街図明治二二年など六点。

「札幌の物産」コーナーでは、観光札幌、マッチラベル　昭和二〇年―三〇年代、札幌の物産など七点。

「地元の産業―養狐―」コーナーでは、毛皮獣、銀狐の養殖、養狐の理論と実際など七点。

「地図にみる札幌の移り変わり」コーナーでは、亜麻のまち麻生　亜麻工場の歴史、大日本職業別明細之内　札幌市、札幌都市計画概要など二六点。

「現在の産業―食と観光―」コーナーでは、札幌市観光鳥瞰図、札幌市産業振興ビジョンなど六点が並ぶ。

開拓使の星のデザインを現代に引き継ぐ「サッポロビール」に関連した資料を通じて、札幌のはじまりから産業の歴史をめぐる。

明治の古地図から昭和の都市計画図まで、地図で札幌の産業の変遷をたどり、札幌各地にあったホップ園。中央図書館付近にあった毛皮用のキツネを飼育していた養狐場も紹介され懐かしい想いで閲覧してきた。

会場では展示リスト、サッポロビールの美人ポスターのチラシも配付されていた。

開拓使の事業パネル展に感銘

北海道命名一五〇年を記念し「開拓使の近代化事業とお雇い外国人たち」展。主催は北海道久成会、大河ドラマ「北で燃えたサムライ村橋久成」を誘致する会。札幌市役所本庁舎一階ロビーで平成三〇年六月二五日から二九日まで開催された。

パネルは三七枚構成で一枚一枚説明できないが、概略を説明しょう。

明治元年一月の鳥羽・伏見の戦いから始まり、戊辰戦争は翌年五月に箱館五稜郭に立てこもった旧幕府軍の降伏で終結。そして蝦夷地を北海道と改称された。

明治三年に開拓次官に黒田清隆が起用され、翌年から有力なお雇い外国人ケプロン、アンチセル、ライマンらが来日。開拓使の人材集めとして村橋久成（天保一三（一八四二）年、薩摩藩の出身、藩令でロンドン大学に留学。帰国後、箱館戦争で政府軍事監、明治四年から開拓使に勤める）が活躍。

明治五年、お雇い外国人ベーマーがリンゴとホップ栽培に挑む。翌年、ワーフィールドの測量と設計で室蘭―札幌間を車馬道が完成する。農業試験場を開設し蔬菜の栽培と牧畜試養が始まる。

明治七年に屯田兵村が創設し、道内各地に配置。屯田兵の出身県別一覧によると総員七三三七名、一番多いのは山形県の四五四名、神奈川県は〇、北海道からは二八名である。

明治八年、中川清兵衛がドイツで学んだビール醸造技術を用いて製造に励み、九年に麦酒、葡萄酒、製糸の産業を促進。

明治一〇年に開拓使缶詰工場を設置し、雇用労働者を増やしていった。

幕末から物資の輸送道は石狩川を利用していたが、開拓使によって小樽―石狩―篠路太間の定期航路化され、明治一二年に断崖絶壁を掘削し、真下を通る浅里―銭函間の車馬道が完成。これで手宮―札幌間の鉄道建設が進んだ。

明治初期から発展に活躍した村橋久成の功績を、国鉄職員で作家の田中和夫氏が文芸誌「国鉄北海道文学」第六号から三年後の第一〇号まで連載。昭和五七年に小説『残響』を自費出版し、第一六回北海道新聞社文学賞を受賞された。

平成一五年七月に就任した高橋はるみ北海道知事は、道議会で田中和夫氏の著書を参考に「新生北海道を創造」を提案。明治期に北海道開拓使の上層部が決めた東京でのビール醸造所建設計画を覆し、札幌でのビール生産を実現させた官吏村橋久成のエピソードを讃えられた。

そして知事公館前庭にブロンズ像・村橋久成胸像『残響』幅七〇センチ、彫刻家中村晋也が制作され、平成一七年九月二三日に除幕式が催され、高橋知事ら一七五名が参列された。

このパネル展は、開拓使はわずか一三年間の活動だったが「北海道一五〇年のいまを伝える」として、知られざる札幌市のエドウィン・ダン記念館、岩内町のアンチセル顕彰碑、小樽市のクロフォード像も紹介され貴重なイベントだった。

お雇い外国人　ベーマーの功績

徳川幕府は慶長九（一六〇三）年から二六四年の時を経て、慶応三（一八六七）年一〇月に組織を解体して大政奉還、戊辰戦争を終えて新政府が発足した。当時の蝦夷地はロシアとの国境問題で緊迫していた。

新政府は明治二年七月に北海道開拓使を創設し、開拓次官に黒田清隆を任命する。黒田は北海道開拓を推進するには新知識を欧米から得なければと、四年一月に横浜港からアメリカへ渡航、グラント大統領と会見し開拓顧問の派遣を要請した。アメリカ政府農務局長ケプロン（六七歳）が任命され、科学技師のアンチセル、機械・土木技師のワーフィルドと共に来日した。

最初はアメリカでの西部開拓技術を活用し、政府の資金で模範工場や実験農場がつくられた。日本人の養成が急務だったので、海外から有識者七八人を雇用。アメリカ人が一番多く、札幌農学校教頭クラーク、農業・畜産のダン、幌内炭鉱開発者のライマンらが有名である。

ベーマー（一八九三～九六）はドイツ生まれ。園芸・造園を学び一八六六年に普墺戦争を避けて、アメリカに移住して国籍を得る。明治五年にケプロンの要請に応じて「草木培養方」として来日した。外国種輸入の中継所および試験場などを設置し、東京宮園で蔬菜・果樹などの培養を担当。七年に北海道全域にわたって植物の調査・採集を行って報告書『北海道本草採集報文』をケプロンに提出している。

開拓使はアメリカからリンゴなどの果樹の苗木を輸入。ベーマーは石狩国札幌官舎に移住。

明治八年六月から「農学現術修業人」という洋式農業を推進する技術者を、札幌官園で研修期間が六ヵ月、次々と多くの人を養成していった。

同年、ベーマーは果樹の苗木を配布、数年たって各地から結実したと報告されている。札幌や余市などにリンゴ村が誕生、その多くはベーマー選定の優良品種だった。余市からの研修生が増加し、北大農学部付属余市果樹園が大正元年に設置され、現存している。

開拓使が明治九年に札幌雁木通に麦酒・葡萄酒両醸造所が建設され、九月に開業式を挙行した。ホップとブドウの培養増殖はベーマーの任務だった。

ビールの原料であるホップは、明治四年に岩内町でアンチセルが発見された。ベーマーも七年に全道植物調査の際に、日高で自生しているホップを見つけている。

九年開業の醸造所では輸入ものを使用していたが、開拓使はこれを自賄いさせようと、札幌の各地にホップ畑を造成していった。

明治一四年秋に明治天皇が北海道行幸に際し、貴賓接待所として現在の北区北七西七に清華亭を建設と豊平館も建てられベーマーは前庭を造っている。

ベーマーは明治一五年四月三〇日に開拓使を退職、横浜市根岸で園芸事業を自ら営み、明治二五年に病を患いドイツに帰国し、二年後に逝去された。

北海道立文学館で加清純子展を開催

北海道立文学館で平成三一年四月から五月にかけて特別展「よみがえれ！　とこしえの加清純子―『阿寒に果つ』ヒロインの未完の青春―」が開催された。

渡辺淳一著『阿寒に果つ』は昭和四八年発行、モデルとして知られる早世の画家・加清純子（一九三三～五二）の残した絵画や文学作品を展示する回顧展である。

加清は一五歳で道展（北海道美術協会が主催運営する公募展覧会）に入選した天才少女画家で、菊地又男画伯から指導を受けていた。

私（高澤）は旧制中学時代から美術部に所属し、菊地精二画伯（又男の兄）から学び、新制高校（札幌経済高）二年の昭和二四年九月に第二回札幌市内高校美術連合展が、三越デパート六階で催され、私は静物画一点を展示。道立女子高（現札幌南高）一年の加清は「雄阿寒」「顔」「湖畔」の三点を出展し見事な作品で注目された。この美術展出品者全員の集合写真を私が所持していたので、今回の展示会に提供して飾られた。

加清は高校三年だった昭和二七年一月に自宅から失踪、四月に阿寒湖近くの山中で遺体が発見された（享年一八歳）。彼女が通っていた札幌南高で同級生だった渡辺淳一は、交際していた当時の体験を元に小説『阿寒に果つ』を執筆した。

平成三〇年に加清家の遺族から絵画一五点が寄贈され、絶筆となった油彩画「阿寒湖風景」があり、この絵の説明文は次のように記している。

阿寒で失踪する前に滞在した雄阿寒ホテルに残された作品、描かれた場所は、ホテルへ下る国道バス停付近と推定されている。比較的写実的な表現で、阿寒の自然から得た感動を忠実に画面に定着しようとしているかのようだ。大自然を無心に描くことによって、新たな画業への挑戦を期したのであろうが、しかしその短すぎる生涯はここで突如として断たれ、残念ながらこうした傾向が後にどのような実を結ぶのかを見ることはできない。

絵画のほかに少女作家として優れた作品も展示されていた。札幌南高校生徒会文学部の文芸誌『青銅文芸』創刊号（昭和二六年一〇月）に「一人相撲」、二号に「二重SEX」など八編を掲載。

また、札幌南高生徒会文学部『感覚』創刊号（昭和二五年一〇月）には「雌阿寒岳を登る」を発表。この文は昭和二三年、中学三年の夏休みに画家菊地又男らと三泊五日の阿寒旅行。その末尾の散文が興味深い。

私達も頂上へあと一息だ！　遂に頂上である！　雲のかなたから、血を形どった様な太陽が昇り出すと、とたん、ぼうぜんとつゝたつ私達の体へ、何かを祝い何かを賛美する様に、無限の光の矢がなげられる。それは、心の中から飛び出す金色の光と交錯し、空中に火花を散らす。あゝ何と云う美しさ、何と云う素晴らしさ、これが人生だったら、これが人生だったら。——と私は考えた。私は、もんどりうってその火の雲の中に飛び込んでしまうだろう。

渡辺淳一追悼朗読会を拝聴して

平成三一年四月三〇日に札幌市中央区中島公園沿いにある、渡辺淳一文学館で没後五年を記念して朗読会か開催された。

朗読はドラマチック　リーディンググループ蔵（ＫＵＲＡ）のメンバーで、平成二〇年に結成され、各地で朗読会を催し、二九年に第六回「北の聲　アート特別賞　ハルニレ賞」を受賞された。

私は昭和二六年に丸善㈱札幌支店に入社し、三四年から医療市場を担当。札幌医科大学整形外科の渡辺淳一講師とは何度も会ってお世話になっていた。文筆家なので作家をこころざし、昭和四五年に「光と影」で直木賞を受賞。その後、面談の都度に著書にサインをして戴いた。

今回の渡辺淳一朗読会では、「花埋み」朗読：鈴木瑠以子、「君も雛罌粟　われも雛罌粟」朗読：宮下郁子、「孤舟」朗読劇：林浩子、栗山博、関口淳子が担当。私は「日本初の女医師となった荻野吟子」に興味を持っていたので参加した。

渡辺淳一著書、荻野吟子の小説「花埋み」は昭和四五年八月に河出書房新社から出版。それを新潮文庫として昭和五〇年五月に発行。その文庫本を所持し、裏表紙には次のように説明している。

「学問好きの娘は家門の恥という風潮の根強かった明治初期、遠くけわしい医学の道を志す一人の女性がいた―日本初の女医、荻野吟子。夫からうつされた業病を異性に診察される屈辱に耐えかねた彼女は、同じ苦しみにあえぐ女性を救うべく、さまざまな偏見と障害を乗りこえて医師の資格を得、社会運動にも参画した。血と汗にまみれ、必死に生きるその波瀾の生涯を克明に追う長編。」

朗読内容を概記すると

荻野吟子は嘉永四（一八五一）年に埼玉県熊谷市で生まれた。一八歳で結婚するが不幸にも夫から性病をうつされ離婚。大学病院で男医の手で耐えがたい羞恥と屈辱を受け、女医の必要を痛感し、医師になることを決意。明治前期の封建社会で女医になるのは至難の業であった。私塾や東京女子師範学校で学び、医師の試験を受けるべく願書を提出したが三回却下された。明治一七年に医術開業試験規則改正後初の試験に吟子だけが合格。三四歳であった。

東京本郷の湯島に「産婦人科　荻野医院」を開業。東京キリスト教婦人矯風会に参加し明治女学院の生理衛生教師も務めた。

明治二三年、キリスト教活動で知り合った同志社大学の志方之善と再婚。社会的な名声をもつ吟子と無名の学生志方（二六歳）とはつり合わず、周囲の反対を押し切っての結婚であった。志方はキリスト教による理想郷をつくるべく北海道へ渡り利別原野に入植。吟子は瀬棚村会津に婦人科小児科医院を開業し夫を助けた。

明治三八年に志方が肺炎で病死。吟子は瀬棚に止まったが三年後に帰京。大正二年六月に脳溢血で倒れ、波瀾に富んだ六二年の生涯を閉じた。

砂澤ビッキ没後三〇年回顧展

砂澤ビッキ（本名・恒夫、愛称ビッキの意味はカエル）昭和六年にアイヌ伝統文化の伝承者・砂澤市太郎の長男として旭川で生まれる。一二年に近文小学校に入学。一五年に家族と阿寒湖畔に移住、父が観光土産の木彫り熊を売って生計を立てていた。

昭和二〇年に砂澤一家は旭川市神居村の原生林に入植。一五歳のビッキは木を切って土地を拓き、木彫り熊の練習や絵を描く。

昭和二八年に阿寒湖畔に移住、この年に父が亡くなり「トアカン砂澤」は閉店。ビッキは土産物屋の店先で熊の木彫りを造る。三〇歳でモダンアート展や読売アンデパンダン展にデッサンを出展し初入選。

昭和四二年に札幌に移住し、アトリエを構え土産品の仕事や個展のため制作に励む。五五歳で音威子府村に移住し、木の美しさをモチーフにスケールの大きな木彫りを制作。

昭和五八年秋に、丸善㈱札幌支店からバーバリーコートを購入し、羽織ってカナダのブリティシュ・コロンビア州に渡り、少数民族のインディアンと交流。カナダのハイダ族の彫刻家と交友を深め、仮面などの彫刻を制作し三ヵ月間滞在した。

昭和五六年に札幌市南区に札幌芸術の森美術館がオープン。丘の中腹に高さ五・四メートルの柱四体を「4つの風」と題し制作した。

昭和六三年秋に腰痛が悪化し大腸ガンが骨髄に転移、入院から三ヵ月後の平成元年にビッキは帰らぬ人となった、享年五七歳。

ビッキの没後三〇年展は、札幌市南区の札幌芸術の森美術館で平成三一年四月二七日から令和元年六月三〇日まで「砂澤ビッキ　風」展が催され六九作品が並ぶ。飾られた写真に「カナダのトーテムポール見学」があり、木彫の横でビッキがバーバリーコートを着て立っている姿があった。また、昭和五五年九月一四日の日記に「足ノ悪イアヒル死亡、箱ニ入レ花モ埋メ、アヒル型ノ舟オ造リ、天塩川デ流シ水葬」と記載。「ビッキと裸婦画」コーナには〈必要なのだ、しかし樹という素材はあたかも女性のように、まことに魅惑的、そして神秘で天体的な空間をもっている〉と説明している。

本郷新記念札幌彫刻美術館「砂澤ビッキ樹」展は、札幌芸術の森美術館と連携し、開催期間は同一である。「ビッキとANIMALたち」「彫刻、工芸、ビッキ文様」「生き物としての仮面」「触れまわる彫刻と晩年の作品」の四コーナーで四四作品を展示。

札幌文化芸術交流センターSCARTSスタジオ、札幌市中央区北一条西一丁目では「砂澤ビッキ　ウィーク」と題し、令和元年五月二一日から二五日にかけて、室内に写真を展示し、連続トークとして工芸家でビッキの長男・砂澤陣氏ほか六名が講演、映像上映は「風に聴く―砂澤ビッキ」ほか四作品を放映された。

北海道立文学館、札幌市中央区中島公園では令和二年一月二五日から三月二二日まで「砂澤ビッキの詩と本棚～流動する風景」が開催された。

特別展　砂澤ビッキの詩と本棚

北海道立文学館で令和二年一月二五日から三月二二日まで特別展「砂澤ビッキの詩と本棚」が開催された。

一月二五日午後からビッキの妻涼子さん、工藤正広館長、浅川泰理事のオープニングトーク（定員八〇人、要予約）が催され、参加してきた。砂澤涼子さんは札幌大学に、図書館司書として勤務。私は丸善㈱札幌支店書籍販売課勧誘係として、当時新設の私立大学の販売員として活躍。昭和三七年に北星学園大学、三九年に旭川大学、四〇年に函館大学、そして四二年の札幌大学である。大学を創設するには建物、指導する教授、それに学部に相応しい数千冊の図書である。札幌大学新設の情報を得て、理事長や学長に幾度となくお会いして、希望を果たすよう尽力してきた。

そんな馴染みな大学に砂澤涼子さんが就職され、今回は久しぶりにお会い出来るとトークショウに参加したのである。この情報は北海道新聞一月三一日夕刊に、「道立文学館特別展涼子夫人、館長らトーク　ビッキ詩集は『彫刻論』」と大見出しで報道された。

私は耳が悪く良く聞こえないので、涼子さんの真ん前の椅子に座った。私が前かがみで聞いている姿が後日の新聞報道写真に写っていた。

配付された資料に、ビッキさん二〇代の感想を綴った詩が掲載されていた。

大雪山の雪渓がそれぞれ奇異に美しいので／テントをかついで登り／好きなところでテントを張って眠ろうとしたが／夜になると恐ろしくて眠ることができなかった、／熊の襲撃があるかもしれぬからだ。／雪渓の流れに口をつけて水を飲んでいたら／目の前に巨大な糞があった。

特別展「砂澤ビッキの詩と本棚」では、ビッキさん自身が見た夢をまとめた散文詩「青い砂丘にて」の手書き原稿や創作メモ、知人にあてた手紙など、文学や哲学、民族芸術など多数なジャンルの蔵書約二五〇〇冊が並ぶ。

「ビッキの軌跡―芸術家・文学者との出会い」コーナーに、フォスコ・マライーニ氏の昭和一七年にイタリア語の論集が飾られていた。説明文は「イタリアの人類学者フォスコ・マライーニは、北海道大学に所属していた頃、ジョン・バチュラーと知り会い、アイヌの信仰イクパスイについて研究した。ビッキとは阿寒湖畔で出会い、イクパスイの研究書を献呈している。添付名刺には「私はオリンピック冬季大会　イタリアNOCアタッシュ・フォスコ・マライーニ」と記している。

私はマライーニ氏とは昭和四二年から交流が深まり、この交遊録を『日本山岳文化学会論集』第一五号　平成二九年発行に掲載、涼子さんに抜き刷りをお贈りして喜ばれた。

今回の展示会に合わせて、写真家の井上浩二・井上マリエ著、砂澤涼子監修『四つの風　砂澤ビッキの創作世界』B5判、一七四頁、二八〇〇円＋税、北海道新聞社から出版された。

北海道撮影ポイントランキング展

北海道の美しい風景を、ネットによって応募した写真コンテストが「北海道撮影ポイントランキング製作委員会」主催で、初の写真展が平成三〇年八月二五日、二六日の二日間、札幌駅前通地下歩行空間（チカホ）北大通交差点広場で開催された。

昨今はスマートフォンの普及で、写真を撮るという行為は、今まで以上に身近なものとなっている。北海道ならではの絶景、街並み、そこで暮らす愛しい北国の動物など、優れた写真展である。

一枚の「写真は外から見る〝窓〟で、同時に自分をそこに写してみる鏡である」と言われている。写真というメディアを通じて、被写体、撮影者、鑑賞者の間に、多様なコミュニケーションが生じる。写真を鑑賞することにより、撮影者がその写真を通じて伝えようとする地域の誘いや、地域の宝となり得る自然、歴史、文化の価値を表現します。また、一枚の写真が鑑賞者に訴えかける力により、その撮影場所を訪問したり、新たな観光資源が生じる。

現在、北海道の各地では経済社会のグローバル化、人口減少や高齢化によって、地域の経済社会の衰退が問題となっている。

北海道の美しい魅力ある自然を、将来に向けて持続的に保全し、観光資源として活用し、観光地づくりを推進するのが、地域活性化に繋がります。

北海道命名一五〇年の節目に、このような写真展が催されたのは意義深いことである。これから益々の発展が期待される。

今回の展示作品一二六点は、この一年間の集大成である。「年間グランプリ展」と銘打って、プロ・アマを問わず、平成三〇年七月二〇日までに約四〇〇名以上の方々から、二〇〇〇点を超す作品が集まり、その中から製作委員会が選んだものである。

最優秀賞、年間グランプリは一点（賞金三〇万円）、「氷点下の中、支笏湖湖岸から寒さに耐えながら撮影した風不死岳」。準グランプリ一点（賞金一〇万円）は「稚内市声問村から撮影した〝風の造形〟海を隔てた利尻山」。

優秀賞三万円は三名。入賞一万円は一〇名。月間グランプリ賞一万円は九名。その他、デジタルカメラ・マガジン賞などの賞金が授与された。

展示コーナーのパネルは前記入選作。そして山関係を抜粋すると「道北エリア」では、上富良野町の紅葉した秋晴れの十勝岳連峰、上川町のチングルマの絨毯から遠望の大雪山旭岳。「道東エリア」では弟子屈町の雲霧の斜里岳、弟子屈町の神々の庭で摩周湖のカムイヌプリ、遠音別村の秋色の知床五湖から知床連山。「道南エリア」では、大沼町の晩秋の大沼から駒ヶ岳。「道央エリア」では、倶知安町の羊蹄山と雲、ニセコ町の羊蹄山と樹林、千歳市の夜明けの支笏湖を取り巻く山々などが飾られていた。

ご興味のある方は、ぜひメールアドレスなどを調べ、写真を投稿して下さい。

「世界史の中の北海道」を閲覧して

北海道立文書館（札幌市中央区北三西六の道庁赤れんが館）と、外交史料館（東京都港区麻布台）が連携して、企画展「世界史の中の北海道」を平成三〇年七月二四日から八月二三日まで開催された。

平成三〇年は蝦夷地が「北海道」と命名された明治二年から一五〇年の節目の年であり、その時代にどんなことが起きていたのか、諸外国との関連について道立文書館所蔵の箱館奉行所や開拓使文書。外交史料館所蔵の条約書など貴重な資料が並び道内で初公開。また、函館市中央図書館、北海道大学附属図書館、同大学北方生物園フィールド科学センター植物園の諸資料も拝借し、世界史と関わりある北海道の回顧展である。

「展示資料目録」には、①松前より遠いところで　四点、◎アイヌ　三点、②箱館開港、外国人との交流　一〇点、③開拓使設置と北海道命名　四点、④国境をめぐって　一一点、◎屯田兵　五点、⑤開拓と官営事業　二三点、◎外交史料館コーナー　三点、⑥その後のことなど。

明治政府が帝政ロシアと結んだ樺太千島交換条約の批准書、日露講和条約（ポーツマス条約）調印書の原本。日米修好通商条約の調印書のレプリカなど、北海道に関係深い貴重な歴史的資料である。

私が興味を抱いた資料をメモしてきたので概記すると、「蝦夷図」青森北部から北海道・千島・樺太（サハリン）・沿海州を描いた地図に地名や産物などが書かれていた。

「北狄事略」文化五（一八〇八）年成立。この絵はロシア使節レザレフ行の様子を描いたもので、この書物は明和八（一七七一）年以降のロシアに関する様々な情報をまとめたもの。「北狄」とは北方の民族という意味で、ここではロシアの様子を描いた。

「アイヌ」では、松浦武四郎が紀行集に描いた絵画。『十勝日誌』から「アイヌの住居の内部」。『知床日誌』から「ウナベツ海岸で武四郎に窮状を訴えるアイヌ」。『石狩日誌』から「石狩川をさかのぼる舟（柳の枝と踏の葉で屋根を作っている）」。

「箱館開港、外国人との交流」のショーケースには「幕末の箱館図（部分）。墨で「外国人への居留地貸渡案内」万延元（一八六〇）年と書かれ、日本商人が地蔵町に造成した埋立地を希望者へ貸し渡す旨、箱館奉行からロシア、イギリス、アメリカ領事へ案内する文書を陳列。壁面には「ペリー一行の箱館港停泊風景」「米国使節と松前藩との会議」。嘉永七（一八五四）年『ペリー艦隊日本遠征記』から抜粋。

「国境をめぐって」では、開拓長官黒田清隆が樺太千島交換条約によって、樺太に住んでいたアイヌを日本国民にするため、強制的に江別の対雁に移住。明治三八年の日露講和条約により、樺太の北緯五〇度以南が日本領となると、多くの樺太アイヌの人たちは帰郷して行った。ショーケースには「對雁移民書類　勧業係」（開拓使文書）が三冊展示され、私は江別生まれなので懐かしく拝観してきた。

札幌市図書・情報館の誕生

平成三〇年一〇月七日に札幌市中央区北一条西一丁目に「さっぽろ創世スクエア」がオープンした。建物は高さ一二四㍍、地上二七階、地下四階と、高さ六六㍍の低層棟（地上九階、地下四階）の二棟を建立。高層棟には北海道テレビ放送や民間企業のオフィスが入居。

低層棟には「札幌市民交流プラザ」、札幌文化芸術劇場（ヒタル）は四～九階で総計二三〇二席があり、三層バルコニー構造。オペラ、バレエ、ミュージカルなど多彩な演舞場。「札幌文化芸術交流センター（スカーツ）」は一～二階、文化芸術に関するイベント企画の開催や活動を支援、演奏会や芸術作品展なども催す。「札幌市図書・情報館」は一階は三〇〇平方㍍、二階は一二〇〇平方㍍、蔵書は約四万冊。文学や絵本・児童書のコーナーはない。本の貸し出しはしないが、調べものの相談や情報提供を行っている。図書館では通常、日本十進分類法（NEC）に基づいて並べるが、ここでは「仕事」「暮らし」「芸術」の三分野に分類、六〇〇種の雑誌、九〇種の新聞が配架されている。会話ができる談話室、パソコンが利用できるコンセント付き席、カフエが付設され、そこへ図書持ち込みは自由、また飲み物などを図書室持ち込みも自由となっている。

開館は平日は午前九時から午後九時まで、夜遅くまで開館していて有り難い。土日は午前一〇時から午後六時までである。

図書室一階の隣室で「図書・情報館からはじめる起業準備」「トークイベント＝さっぽろ雪

まつりを作った人たち物語」「砂澤ビッキウィーク」「日経新聞の読み方講座」「地図のワークショップ」などが開催された。

私は白石区北郷からバスで都心へ、時計台で下車すると図書・情報館はすぐ近くなので、いつも訪れて多くの書籍や雑誌を遅くまで閲覧している。

令和元年八月に図書・情報館の来館者が一〇〇万人に達したので、それを記念して「一〇〇」がつく図書『絶景駅一〇〇選』『世界遺産一〇〇断面図鑑』『アイヌ一〇〇人のいま』『百歳を超えた北海道人』などを集め、表紙を全面にずらりと配架し、八月五日から二七日まで展示された。

私は平成一〇年から北海道新聞社四階「道新スポーツ」編集部に勤務し、「北海道百名山」の連載編集を担当。好評だったので完結後、平成一二年五月に北海道新聞社出版局から『北海道の百名山』を出版し、その年のベストセラーになった。この本が展示されていなかったので、寄贈して並べていただいた。

そんな経緯もあり、予想外の入場者数を高く評価され、令和元年一一月中旬にNPO法人知的資源イニシャティブで、図書館機能を超えた先駆的な取り組みを表彰する「ライブラリー・オブ・ザ・イヤー」で審査員が選ぶ「先駆的図書館大賞」。そして審査会場で観客が選ぶ「オーディエンス賞」にそれぞれ選ばれ、誠に喜ばしいことである。

「有島武郎と木田金次郎」展を閲覧して

平成三〇年一〇月一三日から一一月四日まで、JRタワープラニスホールで『生まれ出づる悩み』出版一〇〇年記念として「有島武郎と木田金次郎」展が開催された。この企画展は、東京・札幌・ニセコ町と各地で巡回された。

木田氏は昭和三〇年初期から札幌に来られる度に、私が勤務する丸善札幌支店に立ち寄られ、三階の画廊をご覧になったり、図書も購入されお世話になっていた。また、有島氏は多くの著書を出版され、販売に携わっていたので、岩内町の木田金次郎美術館、ニセコ町の有島記念館へは度々通っていた。

今回の企画展主催は、札幌駅総合開発㈱、有島武郎・木田金次郎プロジェクト実行委員会。後援は北海道、北海道教育委員会、札幌市、札幌市教育委員会。企画協力はニセコ町、有島記念館、岩内町、木田金次郎美術館。

展示は三章構成。第一章は「小説『生まれ出づる悩み』の誕生と有島武郎」三部構成。一部「有島武郎と木田金次郎の出会いと交流」は、有島が着ていた衣服一着と描いた水彩風景画二点、有島から木田宛の書簡、著書『生まれ出づる悩み』の成り立ちを説明。二部「有島武郎と木田金次郎、その後の交友」では、有島から木田宛の書簡、有島から木田宛に贈られた肖像画。三部「有島武郎の歩み」では、有島画「羅馬古城壁」のペン画など、明治から大正期の著作がずらりと並べられていた。

第二章「モデル画家・木田金次郎の歩み」は四部構成。一部では大正一二年から昭和一〇年までの油彩一二作品。昭和三年画「朝鮮金剛山」は一六三八メートルの切り立った主峰、そして険しい連山が描かれている。その前年に日本人が挑んで登っているので、描いた当時は現場へ行くだけでも困難だったであろう。二部は「海に向かって」、昭和一一年から三八年までに描いた一五作品。昭和一四年の十勝岳、一六年の深雪の羊蹄山、これは雪を纏った羊蹄山を大きく描いたもの。三部では昭和二九年から三三年までの一二作品。なかでも岩内の街の背後に聳える岩内山を正面から描いた作品に心を打たれた。四部は昭和三四年から三七年までの一二作品。「朝焼けの羊蹄山」は、泊村堀株から海越しに見える羊蹄山は冠雪を抱き赤々と靡かせていて美しい。「春のモイワ」の、モイワはアイヌ語で「小さな山」を意味。岩内から約三〇キロ離れた泊村盃の海岸に、小さいながらも三角錐に聳える山である。没年の昭和三七年に描いた絶筆は「バラ」であった。

第三章「平成の『生まれ出づる悩み』―北海道の若手画家たち」は、ニセコ町の有島記念館、岩内町の木田金次郎美術館、札幌市厚別区の北海道開拓の村、札幌芸術の森などが連携して「平成の『生まれ出づる悩み』コンテスト」を、平成二二年から隔年開催され、平成元年以降に生まれた若手の画家たちが出展。その優秀入選二〇作品が展示された。

展示の一部は一〇月二三日まで、一一月四日までと入れ換えて飾られた。

札幌市北白石地区センターで文化祭を開催

札幌市白石区北郷三条七丁目の北白石地区センターの一階ホールで、第三二回文化祭が平成三〇年一〇月二七日に作品展。翌日は舞台発表会が催された。初日の作品展は一三団体から出展。午前八時から展示作業を行ない、一〇時から一般公開された。

展示作品を略記すると①和紙絵画。泉の会の出展者は四人で、湖畔や花、建物など二四作品を額装して展示。②手編み。いとぼうサークル七人で約百点を展示し、半額で販売していた。③韓国語。北郷ハングルは八人が人物画を八作品を展示。④絵手紙。北白石絵手紙サークルは一五人が魚、野菜、草花など、小さな作品を含め約二百点を飾った。⑤和装着付け。着付け教室では一二人が参加、等身大のボディー三体に着物が飾られ、そして四人で順番に着付け、帯の締め方などを指導出演し、多くの参加者で賑わった。⑥手芸。小ぎれ会。一九人の参加で三〇点を出展。壁には洋服、飾物。展示台には帽子、靴下など販売品を約二百点が並ぶ。⑦アートフラワー。コクリコ会は七人が出展。即売品として約千円から三千円の商品を多数展示していた。⑧俳句。札幌白石俳句クラブは三年前から参加し展示している。今回は八人が出展、色紙に揮毫し、掛け軸で飾り八作品が並ぶ。

天高し雲を突き抜く利尻富士　高澤三峯
いわし雲人生のちの謎不思議　長谷川希代

露草や小さき青の凛として　村岡翠子
火星かもひときわ光る秋の星　小島佳香
摩周湖が映す紅葉の極みけり　堀川多佳子
青い池水辺に凛と藤袴　嶋田よしゑ
女子会に欠席無しの春小袖　東梅千種
風たちぬ秋の七草それぞれに　鈴木かほり

来場者に「この出展者の俳句目録一覧と、当クラブは毎月第一・第三水曜日の午前九時半から正午まで、北白石地区センター二階の実習室で句会を催している」とチラシを配布し、参加を呼びかけ宣伝をした。

⑨絵手紙・押し花。たけの子サークル、九人が絵手紙四〇点、押し花二〇点を出展された。⑩陶芸。陶芸サークルは一二人が約百点を展示台にずらりと並べ販売していた。⑪ペン習字。白木サークルは一八人が出展、色紙と短冊を各一点を壁面に、展示台に大きな巻紙四点に揮毫し飾られた。⑫パッチワーク。パッチワークサークルは一四人が、品物を包装するパック商品や壁掛けを多数展示販売していた。⑬篆刻。飛龍会の六人が額装一二点を出展し、実際に篆刻を彫り込む作業と、絵筆で着色し刻印の実景を見せていた。一五時に終了し、展示品の撤去作業が行われた。

北海道博物館でアイヌ刺繍作品展

北海道博物館（札幌市厚別区）で第一四回企画展として「現代の作り手によるアイヌ刺繍作品　北の手仕事　二〇一九」が平成三一年四月二七日から六月九日まで開催された。

平成一〇年にアイヌ文化を学びあい、受け継ぎ、次の世代に伝えるという志を持つ女たちが集い「アイヌ文化を学び継承する女性の会」（愛称カリプｋａｒｉｐ輪）を発足。

「北の手仕事」展は、平成一九年と二三年に開催したが翌年に残念ながら解散した。

アイヌ文様の魅力に心がひかれた人びとが、民族の垣根を越えて結びつき、各地の博物館で資料を調べて技術を高め、アイヌ刺繍の世界を通じてアイヌ文化の現況を伝えるため、過去二回の展示を引き継いで、今回も作品約六〇点を出展された。

北海道立アイヌ民族文化研究センター編集のアイヌ文化小冊子『ｐｏｎ　ｋａｎｐｉ—ｓｏｓ』第二集『イミ・着る』の「アイヌの衣服のあらまし」によると、①動物の皮を素材にしたもの（獣皮衣）、熊、鹿など陸上動物や、アザラシ、オットセイなど海獣の皮を使ったもの②魚の皮を使ったもの（魚皮衣）、鮭、鱒などの皮をはぎ合わせて作るもの③鳥の羽毛を使ったもの（鳥羽衣）、鷲、鷹などの羽毛つきの皮を縫い合わせて作ったもの④植物の繊維を素材にしたもの、樹皮を使った（樹皮衣）、オヒョウ、シナノキなどの内皮から繊維をとって反物に織ったものを素材にする。オヒョウは軟らかくてよいとされている⑤草を使ったもの（草皮衣）、イラクサなど内皮の繊維で織った反物を素材にしたもの、糸が細く色が白め⑥木綿を素材にしたもの（木綿衣）、木綿の古着、古裂、反物などを材料にしたものである。

文様を施す＝衣服などに施したアイヌ独特の文様は、布を切って衣服につけたり、刺繍をしたりして作り、文様は地域ごとに特徴があり、魔除けの意味もあると言う。

今回の「北の手仕事　二〇一九」の出展者は六名で、それぞれ制作課程の思い出を延べています。

◎北海道博物館の収蔵品と同じ文様が作りたくて、縫ってみました。

◎どのようにこのような文様を思いつくのだろうか、感動しながら作りました。イカラリはムカゴイラクサをカエカした糸を使い、背中の小袖の裂布がつけられていたところは小袖が入手困難なので花嫁衣装のうちかけを使いました。

◎一針ひと針思いをこめて着る人が病気にならないように……と願いをこめて作りました。

◎シンプルですがそのスッキリした文様に魅かれ作成しました。いつも思うのですがこんな素敵なパターンを考えた先人たちの素晴らしさが伝わってきます。

◎図録を見て、文様が難しそうなので挑戦してみました。

◎背中の文様が華やかで赤と白の布で文様を作る楽しさが針を進めてくれました。アイヌ文様の美しさが感じられる好きな着物です。

北海道立近代美術館で京都名品展を開催

札幌市中央区の北海道立近代美術館で、京都国立近代美術館名品展「極《きわみ》と巧《たくみ》京のかがやき」が、平成三〇年九月一五日から一一月一四日まで作品を入れ替えながら催され、私は一一月三日に拝観してきたので後期の展示品であった。

第一部は日本画、第一章「黎明」六作品。明治二四年の絹本着色、森寛斎「花鳥図」は七八歳の寛斎が円熟の筆致で新春の慶びを、花咲く老木に鳥がとまって伝えているかのような名画である。

第二章「多様な展開」は九作品、大正二年の絹本着色、入江波光の「振袖火事」は明暦三（一六五七）年に町の大半が焼けた江戸最大の火事で、逃げ惑う人々の姿、表情を風俗画として見事に描いている。

第三章「美人画」は五作品。昭和六三年の絹本着色、広田多津の「想」は、戦前から裸婦像に取り組み、画風を変遷しながら美しき女性像を追究、晩年は生命感あふれる人体を明確な輪郭線で、肌と着物の濃彩を、強い対比で描いている。

第四章「南画」は四作品。大正元年の紙本着色、富岡鉄斉の「夏景山水画」は、実見した風景を真景図として描き残し、四〇歳で富士登山を果たし、以来、数多くの作品を手がけている。

第五章「戦後」は五作品。昭和二八年の紙本着色、麻田鷹司の「鳥のいる作品」は、戦後、新しい日本画を志し、物体を幾何学的形態に還元し、色面構成を独自の現代風景画を追究している。

第二部は「工芸」。「そっくり」は一六作品。本物の動物や植物を見まごうほど、姿、形をそっくりに造形した牙彫や、動物本来の動きまで再現しようとした金属工芸で、竹の子、海老、兜虫などの作品が並ぶ。

「金工」は一七作品。中世から近世にかけ、鋳金や鍛金、彫金など金属加工の技術が発展。並河靖之の「藤図花瓶」明治時代作は花瓶の肩から胴に下がる藤花を、裾に施された可憐な草花の色彩が、闇夜のような黒色袖に浮かび上がり、絵画的な余韻を生んでいる。

「陶芸」は三一作品。京都の陶芸は京焼と総評され、明治後期には京都市陶磁器試験所が設置され、陶磁器の量産化、近代化が進められ、宮本憲吉、河合寛次郎らの陶芸家の作品を飾っている。

「漆芸・木工」は一六作品。漆の木から採取される樹脂で塗りや加飾を行う漆芸や、各種木材や竹材を原料とする木・竹工は、日本では独自の発展を遂げ、海外でも高く評価されている。

「染織」は七作品。染め、織り、縫い、などの高度な技術と多彩な意匠により、京都を中心に発展し、手綴織の技法によって、平面状の織物と立体的な表現を取り入れられた。

京都国立近代美術館は昭和三八年三月に、国立近代美術館京都分館として、京都市左京区岡崎円勝寺町に開会し、昭和四二年に独立して現在の名称となる。所蔵品は現在一万二千余の作品を収蔵している。

北海道博物館でマオリ工芸品展を開催

札幌市厚別区の北海道博物館でニュージーランド先住民族マオリの伝統的な木彫品などを紹介する特別展を開催。令和元年五月一〇日に閲覧してきた。

「マオリ」とは、アオテアロア（ニュージーランド）先住民族の総称。現在の総人口は四七〇万人、うち一四％がマオリ族である。その故国はランギアテアとハワイキであると伝えられている。「ランギアテア（今のフランス領ポリネシア）に蒔かれた種が途絶えることはない」と云う諺がある。

ニュージーランドへの移住の歴史は、四万年以上前の南太平洋への移住まで遡る。最初は一七六〇年にオーストラリアとニューギーニアに到着した英国の探検家ジェームズ・クックが発見後、ヨーロッパからの入植者がやって来るようになった。

二〇世紀初頭から、マオリ族の社会的、経済的な状況改革に着手。スポーツ振興と芸術促進に取り組み、一九二七年にニュージーランドのロトルアに「マオリ芸術工芸学校」を設立し、文化遺産の継承・保持に取り組み、木材彫刻、石骨彫刻、ヒスイを使った装飾品、繊維、カヌー建造などの文化プロジェクトを結成。これらの製品を世界各国で展示し伝えてきた。

今回、北海道博物館での催しは、マオリ美術工芸学校が主催する世界巡回展の一環。アイヌの人たちとの交流を望んでの来道で、日本で初めての開催である。主な展示は

〔パウア〈アワビ〉の貝殻〕これは集会場でよく使われ、マオリの伝統彫刻の材料として使われ、

特に先祖をモチーフとした彫刻作品である。昔は暖をとるため集会場の中で火が燃やされ、炎の光が貝殻に反射し、彫刻の目が輝いていたと云う。

〔トタラ〕木の彫刻用の木材として使用されている。原生林の地中に埋められるので、材料は非常に耐久性が高く、彫りやすい特徴がある。

〔カウリ〕はニュージーランド原生の最も高く成長する樹木で、木目が真っ直ぐで浮力があるので、カヌーの材料として利用されている。

〔ハラケケ〕は、家族を表すとされ、外部の葉はトゥプナ（祖先）、内部の葉はマトゥア（両親）、そして奥の中心部の葉はリトまたはペペ（赤ん坊）を表している。このハラケケは小屋を結んで固定したり、手織物、籠、敷物、ロープや綱として利用されている。

〔ポウナム（ヒスイ軟玉）〕は、人類の創造に感謝を示す装飾品、首飾り、彫刻刀にも使われる。

〔パカラ（保管庫）〕は、トタラ（原生林）とパウア（アワビの貝殻）を使った高床式保管庫。正面外観は高さ約五メートル、横幅約八メートルの大きさで、この会場を締め括っている。

　また、マオリの木彫実演として木彫り師が、大きな木材に掘る部分を詳細に黒墨で着色し、そこに彫刻刀を差し込み、木槌で叩いて削って見せてくれた。ヒスイ軟玉彫刻も実演していた。

東京都江東区の芭蕉記念館を訪れて

松尾芭蕉（一六四四〜九四）は伊賀国上野赤坂（三重県伊賀市）生まれ、一九歳で藤堂藩の藤堂良忠に仕え、その影響で俳諧の世界に入る。二九歳で俳諧の道を志し江戸へ行き、西山宗因の百韻興行に桃青の俳号で加わり、三五歳で俳諧宗匠（先生）となる。

延宝八（一六八〇）年三七歳で、基角、嵐雪など門人の独吟歌仙を集めた『桃青門弟独吟二十歌仙』を刊行。そして宗匠生活を捨てて江戸日本橋から深川（東京都江東区常磐）の庵を拠点に、新しい俳諧活動を展開し名句や「おくのほそ道」などの紀行文を著す。

この草庵は門人から、植物の芭蕉の種が贈られ、それが生い茂ったので「芭蕉庵」と名付け、俳号を芭蕉と改めた。

四六歳、芭蕉庵を人に譲り、杉風の別墅に移る。曽良を伴い、東北、北陸を経て、大垣までの「おくのほそ道」の旅に出る。四九歳、新築された芭蕉庵に入る。

五一歳で没し、遺言により大津の義仲寺に埋葬される。

大正六年九月の台風による高潮の後、「芭蕉遺愛の石の蛙」が出土し、東京府ではこの地を「芭蕉翁古池の跡」と指定された。

江東区では、芭蕉の業績を顕彰するため、昭和五六年に「芭蕉記念館」、平成七年には隅田川と小名木川に隣接する地に同分館を開設された。

令和元年五月二四日、私はこの記念館に訪れて来た。記念館を取り巻く庭園は、大きな樹木が池を巡って繁茂し、そこに芭蕉の句碑が三基建立されていた。

草の戸も住み替る代ぞひなの家
ふる池や蛙飛こむ水の音
川上とこの川下や月の友

芭蕉庵史跡展望庭園、展示室、図書室、会議室、研修室などがあり、貴重な資料が保存されている。

記念館の裏口から隅田川畔の堤防に上ると新大橋から万年橋の間に「大川端芭蕉句選」として九基が付設されたいた。

すぐ近くに「芭蕉稲荷神社」があるので立ち寄った。そこは前記した大正六年九月の台風の高波の後、「芭蕉遺愛の石の蛙」が出土し、それを地元では芭蕉翁稲荷神社として祀っていた。大きな石に「史跡　芭蕉庵跡　昭和五六年一〇月建立。また、「**ぬめる池や蛙とびこむ夢のあと**」俳聖・芭蕉翁生誕三五〇年記念　平成六年一〇月建立とあった。

そして、この近くには、芭蕉堂、臨川寺、長慶寺、清澄庭園、旧新大橋跡、五本松跡、深川江戸資料館などがあって、句碑などが建立されている。

句碑の多い深大寺を散策

令和元年一一月中旬、東京で日本山岳文化学会大会が催された。終了後、調布市の深大寺へ京王線つつじヶ丘で下車し、バスに乗車し深大寺を詣でる。

深大寺は天平五（七三三）年に水神「深沙大王」を祀り、法相宗の寺院として建立。寺を開いた満功上人の両親がこの神様のご利益で創建したので、縁結びの神として人気があり、多くの参詣者で賑わっていた。

元禄八（一六九五）年に建立された、境内最古の山門を潜ると、鐘楼があり、毎日、朝・昼・夕の三回撞かれている。

篠原温亭の句碑　　は世栗の落つれば拾ふ住居哉
中村草田男の句碑　萬緑の中や吾子の歯生え初むる
高浜虚子の句碑　　遠山に日の當りたる枯野哉
石坂泉泣子の句碑　菩提樹や生涯つきぬ寺清水
小林康治の句碑　　逢ふもまた別るるも花月夜かな

そして本堂である。慶応の大火後、大正七年に再建。本尊は宝冠弥陀如来。頭部の宝冠を戴き、主に天大密教に伝わる金鋼界曼陀羅に描かれている特徴的な姿で貴重な像である。

皆川爽雨の句碑

春惜しむ深大寺そば一すゝり

平安時代に活躍した比叡山の高僧、元三大師を祀るお堂があり、その奥に

星野麥丘人の句碑

草や木や十一月の深大寺

石田波郷の句碑

吹起る秋風鶴を歩ましむ

西門を潜ると延命観音。昭和四一年秋田県象潟港の工事に際し、海底の大石を引き上げたところ、慈覚大師自刻の延命観音が刻まれていて、深大寺に奉安された。そこに

松尾芭蕉の句碑

象潟や阿免尓西施が合歓能花

歌碑として小松北溟、清水比庵、林光雄、金原省吾の四基があった。

「深大寺そば」は四〇〇年余の歴史があって有名、門前の参道には二〇軒あまりのそば屋が並び、参詣者で賑わったいた。

深大寺南方の小丘一帯は平山城跡、平成一九年に国の史跡に指定された。城は北・東・南の三方に谷地を巡らし、西は丘陵に連なる自然の地形を巧みに利用して構築している。

大正元年刊『北海道俳句抄』より

中森其涯編『北海道俳句抄』B6判、一五六頁が札幌の西村活版所で印刷され、大正元年一二月廿二日に発行された。売捌所は富貴堂書店で定価四拾五銭である。

編者の凡例によると、〈北海俳壇を開拓せる俳士は文化文政頃。奥羽の四天王と呼ばれた松窓乙二なりと聞くも、未だ句集なきを遺憾と思いしに、幸い同情者ありて多年の熱望を達し、編集の運びに至った。愛読せる「あつし」「北海道」「層雲」「蝸牛」「人生と表現」「日本及日本人」「アラレ」「宝船」「ホトトギス」「俳星」「北海タイムス」各雑誌、新聞から二万余句の中より精選したり〉とある。

序文で大須賀乙字は、〈吾々が現実の責務の生活に於いて、如何に複雑に進化して行っても、一方に於いて原始的生活下に自然と同化せんとする傾向を全く失うものではありません。芸術は人間本来の偽らざる欲求が純粋の姿を取って現れたものであります。故に俳句も人間の懐抱する欲求の一面を具体したもので、ここに自然と同化したまま分離せんとする刹那が歌われるのであります……。あゝ北海の地、森林と、荒野と、氷雪と、星辰と、アイヌと、伝説と、すべての人間の窺い得ざりし北海の神殿は今や兄弟の手に開かれんとしている〉と期待を寄せている。

本書から今は忘れ去られ、当時を彷彿させるような名句を抜粋してみよう。

河東碧梧桐「北海道旅行吟」より

道となく牧車通へり春の山　函館にて
春雨や諸国荷船の苫の数　旭川にて
流氷のいつ戻りけん冴返る　根室にて

四季別に各五句

鰊早き留萌増毛や春の雪　古録
忍路唄へば歌棄朧ろ恋ざめに　柿洲
活気満つ浜や鰊の群来日和　梅窓
囚舟の田戻り早き五月雨　淡月
移民衆に明け易すき北見山脈や　菱花
酋長の富や古潭の麦の秋　丈夫
四夷の山皆天険に銀河澄む　樵歌
石狩筏漕ぐ江差女や朝寒き　菊慈童
北蝦夷や鮭十月の海荒るゝ　豊水
大吹雪船に夜明かす港かな　英仙
ストーブや天井蠅蘇へる　桃山
松前余話乾鮭に亡ぶアイヌ算　波人冠

九条まで町の木立や飛ぶ燕　札幌にて
虎枝やガンビ林の一部落　釧路にて

機関車に水足す駅や冴え返る　瓶子
蝦夷哀歌船に唄へば雁名残る　北都庵
十勝野の鈴蘭いたし青嵐　毛似三
麦秋や蝦夷不二颪雉の声　翠蔭
燕麦の殻に秋立つ牧場かな　凡々
昆布積みに島へ出舟や渡る雁　梅痩
罠ぬけの大熊吼ゆる吹雪かな　基涯
雪舟曳くや熊の毛衣鮭の靴　愛猫子

北光星選『洞爺湖俳句ポスト』

虻田町では昭和六一年から洞爺湖を訪れた観光客に、四季折々の情景や感動を俳句に表現してもらおうと、洞爺湖周辺に四八箇所の「俳句ポスト」を設置して呼び掛けた。その俳句の選者は「道」主宰・北光星氏に依頼され『俳句ポスト作品集』は毎年発行している。

その第二集を「札幌白石俳句クラブ」句会参加者の長谷川キヨさんが持参して見せて下さった。縦一一センチ、横一八センチ、豆本サイズの横長で八一頁、発行は昭和六三年五月。肌色の表紙カバーには「第二集　俳句ポスト作品集　北海道あぶた町」と手書きで印刷。口絵はカラー刷りの洞爺湖、目次・巻頭に洞爺湖観音島の臼田亜浪句碑／**月となる洞爺の水にむし通ふ**／のカラー写真。本文も総て手書きである。

その年のポスト投句者は道内一一二六人、道外三六五人。北光星先生が選んだ入選句の中から、道俳句会の方々を紹介しょう。

一般の部〈秀作〉一〇人、そのうち道会員は二名、トップは札幌市の進藤紫さん。

みずうみの紺に堪へゐる子鹿の眸

〔評〕〈子鹿〉が季語で夏の句。だから湖水の紺碧は目に兆みるばかり。それを子鹿が深沈たる静寂の中で孤独の眸でじっと堪えている。

二位は東京都北区の大野蛍草さん。

影とゆく湖に行書の花芒

〔評〕〈花芒〉は季語で秋の句。花芒が風に揺れている姿を、行書のようだと捉え、秋日の影を曳いたわれは淋しく湖へゆくのである。

一般の部〈入選〉は二六四人が列記され、その中に道会員が一七人含まれている。カラー刷りの遠花火の写真が挿入されているので、洞爺湖の花火大会に、道では吟行会を催したのであろうか。平間一休、中村耕人、柴田紫梢の三名が、花火を詠んで入選している。

紙面に余白が無いので、私が感銘した入選七句を紹介しよう。

北海道江別市　浅野津那子さん
木々の芽の湖見え隠れ幾たびも

東京都小金市　小川公子さん
遊覧船すべり湖周の秋の色

北海道利尻町　金田一波さん
火の山をなだめてしばし神の留守

北海道旭川市　大森キミヨさん
初蝶の影失えり湯煙りに

北海道北見市　佐々木美津子さん
草紅葉洞爺湖裾を明るくす

東京都北区　斉藤千恵子さん
これよりは湖の町なり秋桜

北海道岩見沢市　山口童遊さん
行く雁に洞爺の湖は母なる瞳

川崎精雄氏の山と俳句の人生

川崎精雄氏と初めて会ったのは、上富良野町の十勝岳温泉に宿泊した時だった。川崎氏は昭和四四年二月に東京の茗溪堂から『雪山・藪山』を出版されたので、私はそれを携え面談し、サインをして戴いた。「／**みち探す樹林そここ霧しずく**／昭和四八年九月廿七日於十勝岳温泉　川崎精雄　高沢光雄兄」と俳句まで達筆で綴られた。

十勝岳温泉に集まった理由は、九月二九〜三〇日に日本山岳会北海道支部の芦別岳登山会が催され、川崎氏は率先して加わり、地元の山部山岳クラブ員ら一三名が参加した。

川崎氏は明治四〇年に神奈川県高座郡（現綾瀬市）生まれ。中央大学に入学し山岳部員として北アルプス、上越、会津地方の山々、利根川上流の未開の山々に足跡を残す。三菱銀行に就職し登山や俳句に熱中。昭和八年に日本登高会に入会。一二年に日本山岳会に入会し、平成一〇年に日本山岳会名誉会員に推挙された。

山岳雑誌『アルプ』『山と溪谷』『岳人』などに投稿を続け、俳句も好んで詠まれ、作品を挿入している。

それらを纏めたのが『雪山・藪山』で、俳句は九編執筆。「知床の旅」には六句あり、そのうち二句を紹介すると

五月雨のオホーツク海の黒さ見よ

サロマ湖は海と続きてさみだるる

「雪解の頃」六句から二句を抜粋

雪原の水湧くところ水芭蕉
熊獲りて下りし山の曇りけり

川崎氏は山仲間や俳句仲間から、句集を出すことを勧められ、九〇歳を記念して平成九年九月に茗溪堂から山の俳句四八三句を掲載した『冬木群』を出版した。

書名は／冬木群こぎ分けて来し無名峰／から採用。興味ある句を列記すると

ひとり攀づ雪足跡がついて来る
断崖に逃げて羚こちら見る
夏霧や雌阿寒火口鉄の柵
反り返りホロカメットク山澄めり
雪解山スキー担ぎて藪をこぐ

川崎精雄氏は平成二〇年夏に、高齢の一〇一歳で逝去され、哀悼の意を表します。

後志管内岩内町の句碑を巡って

蝦夷地探検家・松浦武四郎は安政三（一八五六）年四月二七日に岩内を訪れ『西蝦夷日誌』に、岩内運上屋辨天社脇で河海庵玄雄は俳句をよくすると、武四郎も一句詠んでいる／**日は西に櫻は盛り過にけり**／。

佐藤彌十郎著『余滴』は昭和四一年三月発行、ぱとりあ岩内から平成二四年十月復刻、それに「岩内俳壇の濫觴」を記している。「明治二五年勝峰金治氏が東京から岩内に転任し、勝荘庵錦風と号して甫めて岩内俳壇を興したものだが、錦風二世晋風氏の研究によれば「岩内俳壇の権与は双蝶園佐藤己有である。己有は岩内運上屋として漁権を握り、財あるに任せて芸道に散じ、俳諧に資力を傾け、維新前の俳諧師豊島由誓を扶持し、その周知に依って江戸及京洛にて刊行さるる俳書に吟詠の録せらるるもの尠くない」と云っている。尤も運上屋佐藤仁左衛門の先代は京都の五条大納言家に仕いたることのある人だったので、自然文芸的にも芽生えがあったものだろう。岩内俳壇は随分古くからあったと云ってよい」と述べている。

泉天郎句碑

三日月や青物買いにゆくといふ　　天郎

昭和三三年五月に天郎門下の天郎会が岩内神社境内に建立。

幕末の子として生まれ名は正路、医師泉謙三郎の養子となり東京帝大医学部に入学。後に父が岩内公立病院長に就任し、その二代目院長として正路が継いだ。

正路は中学時代から河東碧梧桐に師事し、俳号を天郎として作句に励む。明治四四年に久米三汀と句集「朱鞘」を発行しその選者となる。

岩内に来てからは、医師のかたわら地元の俳句集の発刊指導や広く道内の俳句選者となり、俳句文化の向上に尽力された。

昭和二三年二月に六一歳で逝去。俳句を愛する人達で天郎会が作られ、当時会長をしていた佐藤十狼（彌十郎）の発案により、岩内神社に句碑が建立された。

長年「自選泉天郎句集」の刊行を願っていたが、没後三五周年を記念して昭和五六年二月に刊行。それには明治三七年から昭和二二年までの句作三四二八句が収録されている。

佐藤十狼翁句碑

高曇る海久方の鰊群来　　十狼

岩内郷土館の門を入ると右側に建っている。

裏面には「頌徳句碑　岩内町初代郷土館長佐藤彌十郎（十狼と号す）明治二三年一月二四日生、昭和四九年五月四日没、翁は岩内地方は勿論、本道西海岸の文化・産業・自治につくされた業績顕著なるをもって、北海道の文化功労者として北海道文化奨励賞を受賞と刻まれていた。

釧路の高杉杜詩花氏との書状追憶

私の手元に高杉杜詩花氏の手紙が二通あり、平成一一年一二月一八日付を紹介しよう。

先日は初めてお目にかかり楽しくお話の出来る機会もあり、とても有意義に過ごすことができました。さっそく山に関する誌をお送り頂き感謝しております。

実は一原九糸さんとは昭和二二年から、当時は道内一でもあった俳句誌「緋衣」同人なので、よく名を知っておりましたし、二、三度大会等でもお逢いした事を覚えています。従ってとても懐かしく、この山の本を読ませて頂きました。当時から登山歴のある方で、山の句も緋衣誌で発表されていました。

雪崩烟りおさまるや雪つまみゐる　九糸
蝶迷ひ来て生き生きとヒマラヤ杉

これ等はいずれも九糸さんの昭和二〇年代の作品です。今でも九糸郎とか九糸老とかで発表されているようです。歳はもう九十歳にとどくはずですよネ

『道』の会員では栗田希代子さんはじめ登山家の方々が結構多いようですネ。希代子さんの句集『日本百名山』発刊祝賀会にも随分山に関係する方々がお祝いに駆けつけておりました。高澤さんもその時の一人だったでしょう。希代子さんの『道』でいま書かれている「魅せられ

た山々」にも高澤さんのお名前が随所に書かれています。

さて、今年もあと二十日を残すのみになりました。風邪も流行のきざしを見せております、お互い元気で良い年を迎えようではありませんか。一月二十九日の道新年句会には出席予定でいます。その折りにお逢いできれば幸いです。

次の句は私の今年八月に阿寒登頂の作品

わが杖に妻の体重初登山　　杜詩花
落書で埋まるノート登山小屋
雄阿寒のまだ八合目雲の峰
夕立や女性で占める非難小屋

私がお贈りした本は、平成七年五月に編集発行した『山書趣味』第七号、特集：一原有徳。平成一一年一一月発行の同人誌『譚』第二号、二水会発行、それには一原九糸郎の俳句が掲載されている。

また、私は北海道新聞社四階に日刊紙「道新スポーツ」編集部があり、平成一三年一月から「ふるさとの山めぐり」と題し連載。白糠町に「滝の上山」五六七㍍があるので高杉氏に執筆依頼したが、その年の一二月に残念ながら連載中止となり、高杉氏に詫び状を書き送った。

板谷島風氏　奥尻俳壇尽力に感動

板谷島風氏の長女・一枝《いちえ》さんは若き時代に奥尻島で過ごし札幌市白石区北郷に移住された。平成三一年一月に札幌白石俳句クラブに入会。島風句集『潮音』昭和五八年刊、『奥尻』昭和六二年刊、『鍋釣岩』平成三年刊、奥尻あけぼの俳句会『合同句集』昭和六一年刊を持参され、拝借し感動した。

俳句は六五歳のときに函館の書店で総合誌『俳句』を購入。広告の出ている結社誌を選んで昭和五五年三月に大阪の「河内野」に入会、翌四月に札幌の「道」に入会し俳句雑誌に北光星主宰選で六月号から昭和五七年一〇月号まで合計九九句が掲載された。

昭和五五年五月一八日の北海道新聞、日曜文芸・俳句欄、阿部慧月選で入選している。

春光や砂の中なる鰈の目

これを契機に多くの俳誌で学ばなければと、「狩」「沖」「かつらぎ」「氷原帯」「俳句とエッセイ」「黄鐘」「壺」「ホトトギス」「南風」「寒雷」「雲母」「響」と各結社に入会、目標とする漁師の句や弧島の自然を少しでも表現できればと励んだ。

昭和五七年一二月一九日の北海道新聞、日曜文芸・短歌欄、江口源四郎選で入選。

遭難の岬に白くささくれて立つ流木に汐霧の飛ぶ

解説は「板谷島風さんは、奥尻島に住む人で、荒々しい日本海の中の弧島の情景を、よく具象化している。古来より漁船が多く遭難する海の岬に立つ流木に、汐が霧のように飛ぶ状況は、凄惨な感動をよく伝えている」。

島風氏の略歴は、大正三年一二月二日、奥尻島で生まれ、本名は勝三郎。昭和五七年一月、「北の雲」雪嶺賞受賞、同月、奥尻あけぼの俳句会を設立し会長。昭和六一年七月、北海道俳人協会に入会し、「北海道俳句年鑑」に平成一二年まで毎年五句投稿し、一五年間に七五句掲載。後年、島風氏は漁師を辞めて雑貨屋。弟の妻・板谷ミツエさんは食堂を営み、忙しいなか句会に参加し奥尻島を盛り上げた。平成五年七月一二日に北海道南西沖地震が発生、奥尻町は一九八人が犠牲になった。これに痛恨し札幌の娘さんの居住地に転居。平成一八年三月七日、九三歳で死去。

初期から俳句指導を担っていた中嶋秀子氏は第二句集『奥尻』の「序文」で選評している。／**紫陽花や一つの島に百の貌**／板谷さんの句は、島の神秘と魅力を詠いつつ、彼自身の世界を紹介している作品といえよう。第三句集『鍋釣岩』に「寄せ言葉」欄がある。森カツ女さんは「いつの日か美しい海の見える丘に、名句／**地の涯に雪降らぬ夜は星がふる**／このような島風さんの句碑が建てられ、後世に伝えられることを念じています」と絶賛している。

北海道立文学館で「北海道の俳句」展開催

北海道立文学館で平成三一年二月二日から三月二四日まで「北海道の俳句―どこから来て、どこへ行くのか」特別展が開催された。

配付されたチラシに「江戸期に松窓乙二の来道をはじめとして、歴史の節目節目に道外各地から俳句文化が流入し、時代ごとに根づいてきた北海道の俳句文化。それは全国的に見て、きわめて特異な歴史を持っています。しかし、北海道の歴史とともに歩んできた民衆文芸・俳句の過去の記憶が、時の流れの中にしだいに薄れつつあります。

今回は、当館所蔵資料などにもとづき、北海道俳句が『どこから来たのか』という視点で歴史を軸に整理をし、その上で俳句文芸の現況と明日の展望『どこに行くのか』について考えます」と記載され、カラー刷で久保二瓢の短冊、細谷源二の色紙、松窓乙二の掛け軸など、明治大正期の俳句雑誌が飾られていて大変参考になった。

展示コーナーは、江戸後期、明治期、大正期、昭和は四分類、平成へと続いている。

展示品の中から縁りある方を紹介すると、Ⅱ明治期コーナーに「樺太の俳句」があり、伊藤凍魚短冊／**霧とざす瀬の深々と明易し**／が飾られていた。伊藤は会津若松生まれ、本名は義蔵。大正九年に丸善東京本社に入社。札幌へは度々訪れていて、一一年九月に北大前の北八条西四丁目に丸善札幌出張所を開設し、北大や道立の研究機関に洋書販売に励む。在任中に比良暮雪と知り合う。大正一三年に樺太の富士製紙落合工場に転勤し、句会を催し「氷下魚」を創刊、樺太俳壇を盛り上げる。

　戦後、旭川へ引き揚げ「氷下魚」を復刊。私は昭和二六年に丸善札幌支店に入社。そこに伊藤は「氷下魚」刊行の都度来店し、俳誌の販売を依頼され、交流が深まった。

　昭和期のⅤ「昭和②戦争からの解放―俳句誌の百花繚乱・同人俳句雑誌の興亡」ではショーケースに、北光星主宰が昭和三一年に創設した「礫」二号、北光星句集『一月の川』、中村耕人句集『農夫の旗』、田中北斗句集『空知』などが並ぶ。

　Ⅵ「昭和③鮫島賞」「北海道新聞文学賞」受賞コーナには、北光星句集『遠景』、田中北斗句集『雪』、源鬼彦句集『土着』、すずき春雪句集『忘恩』、越前唯人句集『雪蛍』など、昭和四七年に北海道新聞文学賞を受賞した進藤紫句集『壺』、北光星短冊／**芦の青さよ父生涯も大工なり**／が陳列。

　Ⅶ「昭和④一九七〇年以降」のショーケースには、北光星著『句眼歳時記』、『北方季語探索の軌道―「水の会」―記録―』（高澤はこの句会に平成一八年一二月から三年間参加し大変勉強になった）などが展示。

　最後のⅧ「平成年代以降―新たな挑戦へ」では、北大大学院情報科学研究科グループが開発した「ＡＩ―一茶くん・好きな写真を選んでね！」と、大きなパネルが置かれ、数多くの映像写真が映っていた。

　山の写真をクリックすると／**すすべりのひととき燃えて今朝の秋　ＡＩ一茶**／が表示され、凄さに感動した。

江別支部句会でカスベが話題となる

「道」俳句会江別支部では毎月第二水曜日の午前一〇時から正午まで札幌市厚別区民センターで、源鬼彦主宰を招いて句会を催し、指導を受けていた。

平成三一年二月一三日は第一八二回目。兼題は「カスベ」と「札幌雪まつり」、その日の提出は九句で、参加者の鑑賞や主宰の添削選評で盛り上がった。名句を記すと

かすべ干す男勝りの頬被り　源鬼彦主宰
四半身のカスベ煮凍る遠忌かな　滝　玲子
煮かすべの軟骨ほろと余寒かな　青木由美子

「カスベ」はあまり知られていない。岩波書店『広辞苑』でもカスベは出てこない。そこで「えい」を捲ると〔魚のアカエイとその近縁種の総称〕、「がんぎえい」を引くと〔ガンギエイ科の海魚。体長約一・五メートル。体は菱形で尾部は細長い、背面は褐色、腹部は白色。青森以南に産する。夏、美味〕と掲載されている。

北海道新聞社が平成一二年三月に『うまいっしょ！　北海道』を出版。「かすべと羊蹄じゃがの中華風煮込み」と題し、料理に〈酒のつまみにとてもおいしい〉と掲載。百科事典には〈煮付け、練製品の原料、乾品として賞味〉と記している。

実物を見たく、札幌市の狸小路から東へ、創成川の橋を渡り東二条一帯は「二条市場」で多くの魚類を販売、その食堂もある。そこでカスベはどの店で売っていますかと尋ねると「一番奥の店に在ります」と言われ、行って見ると、小さく刻まれていて原型を見ることは出来なかった。

そこで札幌市中央図書館へ行って調べたので、主要部分を紹介しよう。

『日本産魚類大図鑑』〈図版〉東海大学出版会、昭和六三年刊には、カラー刷で五六種もが列記され、待望の著書が見付かった。

『世界文化生物大図鑑』〈魚類〉世界文化社、平成一六年刊、「エイ目」では「種類数は軟骨魚綱のなかで最も多く、ノコギリエイ亜目、ガンギエイ亜目など一二科、六二属、四五〇種があるとして、日本には四亜目九科七〇種の生息地を地図で明示して解説。「カンギエイ」は青森県から東シナ海に分布。「マツバラエイ」は東北地方から北海道の太平洋岸に分布。「アカエイ」は東北地方から東シナ海に分布、などとある。

『原色日本海魚類図鑑』桂書房、昭和三五年刊には、エイ類として一六頁にわたって図を挿入して解説。「テングカスベ」は北海道の日本海側から東シナ海に分布。方言として新潟県ではテングカスベ、東北地方ではカスベ、宮城県はカラカイと呼ばれている。「コモンガンギエイ」は新潟県の方言でツマリカスベなのである。「カスベ」はアイヌ語で〈カスンベ〉と言っていたと記され、貴重な文献である。

その他、『日本産魚類全種の学名・語源と解説』などが書棚に並び見応えがあった。

新ひだか町に源鬼彦主宰の句碑建立

令和元年九月二七日にＪＲ札幌駅北口に三〇人が集合し八時半に貸切バスで新ひだか町（平成一八年三月に静内町と三石町が合併して改名された）に向かって出発した。

新ひだか町公民館に到着し、前広場に源主宰の句碑が建立されていて、その除幕式を一一時半から挙行。静内神社宮司二名による入魂式、関係者の祝辞、謝辞などが述べられた。

主宰の第五句碑は大きな岩石に

優駿はカムイの使者か青嵐　　鬼彦

裏面には〈昭和二十四年戦争の混沌とした中で「ぺてかり吟社」は生まれた。今年創立七十周年を迎えたが、それを記念して俳句雑誌『道』源鬼彦の句碑を建立する。令和元年九月二十七日　ぺてかり俳句会七十周年を記念する会〉と刻まれている。

全員の記念写真撮影後、創立七〇周年記念俳句大会が開催された。事前に俳句を募集し全国から八七句が寄せられた。一五人の選者が採点し一位は一四点の新ひだか町の三國矢恵子さん

緑蔭に碑となる石の置かれをり

見事な名句である。

俳句大会終了後、記念祝賀会が催され、参加者は五四人で、美味しい御馳走にビールと酒をたらふく飲んで、公民館前に句碑が在ったのが気掛かりなので外へ出た。

中庭の主宰句碑と対峙して、前庭に瀬川尋羊の句碑が平成四年一〇月一〇日に建立されていた。

崖の砦滴る古戦場　尋羊

その隣に句碑が在ったが、文字が薄れて読み取れなかったので、宴会場に戻ってぺてかり俳句会の三國矢恵子さんにお願いし、現場まで来て頂き教えを乞うた。

うぐひすの溪園すでに日は高し　虎杖子

これは昭和三五年一一月にぺてかり吟社同人が中心となって、長谷部虎杖子の句碑をうぐひす谷の一隅に建立。それを新ひだか町公民館新設の際にこの場所に移されたと教えて下さった。

新ひだか町は景観の優れた町である。二〇間道路桜並木、その入口に宮部金吾博士の顕彰碑が在る。真歌公園にシャクシャイン像が昭和四五年に設置された。

櫂未知子著「十七音の旅」に源鬼彦主宰の俳句を紹介

北海道新聞「日曜文芸」欄に、俳句については櫂未知子氏（「群青」共同代表）の「十七音の旅」。そして短歌については田中綾氏（北海学園大学教授・三浦綾子記念館館長）の「書棚から歌を」を、一週間ごとに交互に連載している。

令和二年二月一六日の北海道新聞「日曜文芸」欄に、櫂さんの連載「十七音の旅」が掲載された。「ある本に、日本における風の名前は千四百あると書いてあった。もちろん、もっとたくさんあるという説もある。

農業や漁業に携わる人にとって、「風」は「明日をどう生きるか」という指針にいかになったことだろう。特に、風が命を握る漁船にとって、「どんな風が吹くのか」は死活問題だったのではないか。

春北風の先兵は槍利尻富士　　源鬼彦

『道』二月号の「主宰の一句」より。田湯岬の解説には、「本州の皆さんには想像を出来ない厳しさ、それが北海道の春北風なんである」と記していた。

私はこの俳誌『道』を手にして驚いた。田湯副主宰は毎月「主宰の一句」を連載していて、二月号の文を追記すると、主宰の一句は平成三一年作。「立春を過ぎたとは言え、北海道の二月は最も厳しい風雪に曝される。ホワイトアウトによる死亡事故の多くは二月になって発生している。本州の皆さんには想像を出来ない厳しさ、それが北海道の春北風なのである。掲句はその春北風から、利尻富士、槍となって突き刺さっていくという、想像を絶する自然の厳しさをリアルに表現しているのだ。」と述べている。

この厳しい利尻山（一七一九メートル）には夏道が鴛泊と沓形にあり、私は何度も登っている。夏道以外の苛酷なルートとして、北稜、東稜、東壁、南稜には突出した大槍が聳えている、そして西壁がある。

戦後の登山ブームで、登山者はより苛酷なルートに憧れ、全国各地の山岳団体が競って利尻山に殺到し、初登頂を争った。

その記録を調査し、昭和六三年一一月に札幌山の会、創立二〇周年記念誌『薄雪草Ⅱ』に「利尻山登山史」を発表。北大山岳部では積雪期に鬼脇コースから初登頂したのは昭和九年五月二五日、厳冬期に鴛泊から登頂したのは一一年一月四日であった。

戦後の登山ブーム期に、東京の社会人山岳団体である徒歩渓流会が、三人で南稜の冬期初登を目指したが、三〇日滞在したが天候が安定せず二人は帰京。残った川上晃良氏は東稜を単独で一〇日かけて昭和二六年二月一日に厳冬期初登頂を果たした。

その後、多くの団体が険悪なルートを挑んだが、その多くは夏期、年末年始、三～五月であり、厳寒な二月に挑んだのは僅かである。厳寒の利尻山は最悪なのである。

源鬼彦主宰の逝去を悼む

道俳句会源鬼彦先生（七七歳）には、病気療養中のところ、令和二年五月一一日胸部動脈瘤破裂にて永眠されました。―と知らせを受け驚いた。昨年までは江別支部句会で指導を受けていたのに残念でならない。

源主宰からは何かとお世話になっていた。拙著『山旅句　エッセー集』平成二五年一〇月二七日発行、道文庫〈一八一号〉に主宰から序文を執筆して戴いた。概記すると高澤氏は俳誌「道」に毎月「山旅句」と題する随筆を寄せられている、実に一三年以上に及ぶ連載である。俳誌「道」にとってオアシス的な存在で、会員の仲間の皆様から好評な読み物として迎えられている。

第二の理由は「山旅句」を読む度に思うけれども、「現場主義」を貫いていることである。執筆すべきテーマを固めると必ず現場に出掛けて、実際の体験からペンを走らせる。自身の足と目で書き綴っているので迫力があるし、読者を納得させる力がある。

第三の理由は〈山・旅・句〉のタイトルが示すように、山に関するものだけではなくて旅行や俳句などに関するものも執筆され、題材は多岐にわたり、ついつい引き込まれるように読む。

俳句用語に「山岳俳句」がある。意味は山岳に関する俳句全般を指すと考えてもよいが、福田蓼汀の解説の一節に「山岳俳句」は単独登攀に似ている。純粋な自然美や荘厳さに触れる人とすれば、足で確かめる意欲がなければ山の真はつかめないと書いている。

この「山旅句」は、高澤氏にとって終生の仕事になるであろう―と褒めて下さった。

まったくその通りである。その後、『随筆集　山旅句』を平成二八年、『山旅句　随筆集』を平成三〇年に出版。現在、第四集として『エッセー集　山旅句』を編集中である。

平成二九年一〇月二二日開催の道俳句会全国俳句大会で、拙句／**天高し雲を突き抜く利尻富士**／を提出し見事に入選。源主宰からトロフィーを受賞し、その時に撮影された写真を、令和二年五月二〇日に『札幌山の会合同句集』を出版して掲載。それを主宰にご覧いただけないのは残念である。

平成三〇年一〇月二一日の道俳句会全国俳句大会で講演を依頼され、〔私と「道」との関係と人生〕と題して、平成一一年一〇月から「山旅句」の連載が始まった経緯など、有意義な話をさせて戴き、有り難い事である。

印象深いのは句碑建立である。平成二二年六月、豊頃町える夢館庭に／**新じゃがの泥の親しさてのひらに　鬼彦**／。平成二七年七月、雨竜郡北竜町／**海流はかの樺太へ終戦忌　鬼彦**／。令和元年九月、新ひだか町公民館前庭に／**優駿はカムイの使者か青嵐　鬼彦**／とそれぞれ除幕式が行われ、楽しき旅であった。

源主宰は源義仲（通称・木曽義仲）の後裔だと聞かされた。高澤は平維盛に仕えていた武士・高澤平十郎の末裔、源平合戦で砺波の倶梨伽羅峠で木曽義仲に攻められ、平家軍が破れたので、源家と高澤家は嫌厭の仲だと話し合っていた。

令和時代の『日本百名山』

『山と溪谷』一〇一七号、令和二年一月号に特集「一〇〇人で選ぶ、名山一〇〇」として、日本全国から新規に一〇〇座を選んで二三頁から一〇七頁にわたって紹介している。選者は各地域の知名人で北海道から一〇座が選ばれているので、紹介すると

幌尻岳は写真家の市根井孝悦。羊蹄山は登山家の三浦雄一郎。エサオマントッタベツ岳は写真家の梅沢俊。楽古岳は登山史家の布川欣一が、学生時代から坂本直行が登山に励み、楽古岳の絵画も描いているので採用した。

大雪山の桂月岳は山岳ガイドの大塚友記憲、選んだ理由として「大雪山の展望台であり、一九三八メートルの桂月岳は朝焼けや紅葉の観光スポット。山の名称は明治・大正時代に大雪山で活躍した随筆家・大町桂月に因んだもの」と解説している。利尻山は山岳ガイドの舟生大悟。トムラウシ山は国際山岳医の大城和恵。雌阿寒岳はキノコ・粘菌写真家の新井文彦。チロロ岳はフリーライターの長谷川哲。藻岩山はイラストレーターの鈴木みき、選んだ理由として「五三一メートルの山だが頂上からは、日本海、大雪山系など見渡せる〈日本新三大夜景〉に選ばれ、札幌の観光地として代表格だ」と記している。このように全国各地の名山を、それぞれ識者が寄稿している。

『岳人』五九号、昭和二八年三月号には、『岳人』選定「日本百名山」が掲載、編集部の加納一郎らが選んでいる。

北海道から選ばれたのは、大雪山、十勝岳、ペテガリ岳、阿寒岳、石狩岳、斜里岳、神威岳の七座である。

深田久弥が『山と高原』に昭和三四年三月号から「日本百名山」を連載。完結後、新潮社から三九年七月に『日本百名山』を出版された。

北海道から選ばれたのは、利尻山、羅臼岳、斜里岳、阿寒岳、大雪山、トムラウシ山。十勝岳、幌尻岳、羊蹄山の九座であった。

『日本二百名山』

昭和六二年九月に深田クラブが『日本二百名山』を出版した。

北海道からは、利尻山、羅臼岳、斜里岳、雌阿寒岳、天塩岳、大雪山、石狩岳、ニペソツ山、トムラウシ山、十勝岳、芦別岳、夕張岳、幌尻岳、カムイエクウチカウシ山、ペテガリ岳、暑寒別岳、樽前山、羊蹄山、駒ヶ岳の一九座が選ばれている。

『日本三百名山』

山と溪谷社から『日本三百名山』登山ガイド、上巻が平成一二年九月に出版され、追って中・下も発行された。

上巻に掲載された北海道から選ばれた山は、利尻山、羅臼岳、斜里岳、雄阿寒岳、天塩岳、ニセイカウシュッペ山、大雪山、石狩岳、トムラウシ山、オプタテシケ山、十勝岳、ニペソツ山、幌尻岳、カムイエクウチカウシ山、ペテガリ岳、神威岳、芦別岳、夕張岳、暑寒別岳、余市岳、樽前山、羊蹄山、ニセコアンヌプリ、狩場山、駒ヶ岳、大千軒岳の二六座を選定している。

『山と溪谷』一〇〇〇号記念誌を読んで

『山と溪谷』は昭和五年五月に創刊。当時は社会人や大学山岳部が競って、過酷な山に挑戦し、海外の未踏峰にも挑んでいた。本格的な大衆登山はこの山岳雑誌によって、普及されていったのである。

戦時中は体力増強で軍事化。山岳雑誌三誌を統合して『山とスキー』と改題して刊行したが、紙不足や東京空襲に侵され一時は中断せざるを得なかった。

戦後、昭和二一年九月に『山と溪谷』は復刊。八八年を経て、平成三〇年八月号で一〇〇〇号に達し、今回の特別号が出版されたのである。

昭和四三年五月に私は札幌山の会設立に参加し、当時は『山と溪谷』を毎月購入し熟読していた。昭和五六年六月号（五二七号）に「大雪に挑んだ先駆者たち　山書にみる登山史」を寄稿。以後度々投稿を続けている。

今回購入した理由は、『登山用語小辞典』四六判、二三二頁の付録が付き、小型で使いやすい。雑誌の本文は、巻頭特別グラフ「皇太子さまの山岳写真」で飾り、かつて芳賀スキーの経営者だって畏友・芳賀孝郎氏（日本山岳会元副会長、学習院大学山岳部ＯＢ）が「皇太子さまのお世話役」として述べている。添付写真は皇太子さまが平成六年九月に知床半島の羅臼岳に登山中の写真（同年一二月に北海道警察本部から『皇太子同妃両殿下行啓警衛警備の記録　写真集』が出版された。その時に表紙を飾る羅臼岳の写真が無いので、印刷所から懇願され、私が平成四年四月に知床半島縦走中に、サシルイ岳から撮影した羅臼岳の写真を提供した）。

また、芳賀氏は平成二六年一二月に東京で日本山岳会年次晩餐会が催され、その時を写真入りで詳しく記している。

特集第二として『山と溪谷』一〇〇〇号の歩み、と題し第一部『山と溪谷』表紙で見る「時代」、第二部紙面で振り返る登山事情、第三部『山と溪谷』を巡る雑学集。山岳写真では風見武秀氏の「池の平より劔・八ッ峰」があった。風見氏とは昭和三五年九月に礼文岳に同行登山。一〇年後に丸善㈱札幌支店で「風見武秀山岳写真展」を開催してもらった。『山と溪谷』が一〇〇〇号続いた理由では、布川欣一氏が解説している。布川氏から著書『山道具が語る日本登山史』を「高澤光雄様一九九一・二・四」と署名して戴いた。

特別寄稿　私と『山と溪谷』では、市毛良枝、岩崎元郎、八木原圀明ら一八氏が稿を寄せている。

八木原圀明氏は平成三年厳冬期にエヴェレスト南西壁に挑戦したが失敗。二度目は平成五年一〇月から一一月で、群馬県岳連隊隊長として最挑戦し登頂に成功した。私は平成四年に定年退職し、翌年一〇月から一一月に掛けて初めて山仲間四人でヒマラヤトレッキング。その時、偶然にもエヴェレスト山麓で八木原隊と交差遭遇した。八木原氏は日本山岳文化学会理事を担当、私は評議員なので東京で催される集会の都度面談している。

『伊能忠敬測量日誌』を読む

札幌市厚別区の北海道開拓記念館で平成三年に「資料と語ろう北海道の歴史『伊能忠敬測量日誌』を読む」の講演会を開催。『寛政一二年庚申　蝦夷千役志　全』が配付され、笹木義友学芸員が講演された。概記すると、

寛政一二年閏四月一九日（陽暦一八〇〇年六月一一日）に江戸を出発し、歩測で距離、簡単な羅針で方位を測り、蝦夷地の宿泊地では二七地点で緯度を測る。根室の西別（現別海町）に到着。往路一八六日の測量行、うち蝦夷地滞在は一一三日である。西別から海を渡って千島列島の国後島まで行く予定だったが、当地の役人は皆で鮭漁に従事し忙しく、忠敬は相手にされず断られた。

この大事業は忠敬が費用を自己負担で実現。西別から先の蝦夷地東海岸や千島列島の測量は、明年の事業として考えていたが、その後、幕府との意見の一致が得られず、また道路や宿舎も未整備なので、残念ながら実現しなかった。

『蝦夷千役志』寛政一二年庚申「全」は、忠敬の日々の動向を詳記した測量日誌である。主な項目を略記して説明しよう。地名は当時のアイヌ語でカタカナ書きだが、現在の地名で記載。

四月一九日　江戸を出発。

五月一九日　三厩より船で津軽海峡を渡り、箱館へは着船難しく松前の吉岡着。「北海道新聞　平成三〇年四月二八日に〝道内測量の一歩後世に〟福島町で没後二〇〇年を記念し伊能忠

敬像を吉岡に設置」と報道された。
五月二八日　箱館山に登って方位を測る。
函館山（三三四㍍）頂上に、『測量日記』の一部「江戸出立後の上天気なり、箱館山に登って方位を測る、夜も晴れ測量」と函館市が昭和三二年に石碑に刻んで建立
六月一日　大野村・渡島支庁大沼公園近くの村上島之丞宅を見舞う。「ここで間宮林蔵と初会見、蝦夷地測量の続行を委ねる」
六月一六日　虻田出立し、有珠に出る。　六月二六日　新冠出立、三石着。
七月八日　広尾着。　七月二四日　大楽毛着、釧路へ。　八月四日　根室より迎え舟を待つ。
八月七日　西別着、鮭漁最中多忙にて、国後島への送船は得られず逗留。国後島方面を測量。
八月九日　西別を出立し姉別（浜中町）着。
八月一二日　内弟子をバラサン（アイヌ語で平棚）に登らせ、阿寒方面を測る。
九月一六日　松前を出港し、三厩へ。　一〇月二一日　江戸に帰着。
蝦夷地測量が続行できず、享和元（一八〇一）年から文化一三（一八一六）年まで全国を測量巡回。伊能（一七四五〜一八一八）没後、文政四（一八二一）年に関係者で「大日本沿海輿地全図」を作製し江戸幕府に献上。この地図を主体に陸軍参謀本部から二〇万分の一図が明治一七年に発行された。
平成一三年に東京都江東区深川の富岡八幡宮境内に「蝦夷地へと第一歩を踏み出す伊能忠敬」の銅像が建立された。

『がいなもん　松浦武四郎一代』を読んで

松浦武四郎生誕二〇〇年、北海道命名一五〇年を記念し様々な著書が出版された。「がいなもん」とは武四郎の出身地である三重県の方言で「とてつもないやつ」の意味。この本は小説家・河治和香（かわじ・わか）が、小学館発行の雑誌『きらら』に平成二九年四月号から翌年三月号まで連載したものを纏めたものである。

著者は東京都葛飾区柴又で生まれ、日本大学芸術学部を卒業。日本映画監督協会に勤め脚本家でもある。著書は平成一五年に『秋の金魚』（激動の幕末から明治、日本の夜明けを切り開いた咸臨丸を運航した二人の青年士官。明と暗をわかつ二人のはざまに揺れる女心）で、第二回小学館文庫小説賞を受賞。その後も『国芳一門浮世草紙』全五巻、『どぜう屋勘七』『遊歳神通伊藤若沖』など次々と出版している。

標題の『がいなもん　松浦武四郎一代』の表紙帯の宣伝文を紹介すると、「この男、傑物にした奇人！　◎武四郎の提案は〈北海道〉じゃなくて〈北加伊道〉だった。〈加伊〉って何？◎16歳で家出。書き置きは「唐天竺に行くかも」◎〈神足歩行術〉で1日六〇キロ近く歩いたらしい　◎蝦夷地を6回にわたって踏破、９８００！ものアイヌの地名を記録　◎吉田松陰や坂本龍馬など志士たちの「蝦夷地アドバイザー」◎勾玉ロングネックレスがお気に入り！◎古希（70歳）記念に富士登山！　秘境にお墓、超特別に棺、死後も準備万端…終活の達人！。絵師の河鍋暁斎の家に絵の催促にやって来てはイヤミ連発！　しかも昔話が始まると止まらない！（……けど、面白い！）」とある。

四六判　三一七頁　定価一七〇〇円＋税、小学館から平成三〇年六月一三日に発行されたが、好評で翌七月二五日に第二刷を出版。

小説の舞台は、明治初期に武四郎が浮世絵師・河鍋暁斎に依頼した「武四郎涅槃図」の、絵の完成をせかして、河鍋宅に訪問した武四郎老人が、暁斎の娘「豊」に語って聞かせるやりとりが、なかなかユーモラスで面白いので、一気に読み終えた。

北海道命名で「北加伊道」と提案したことは知られているが、「カイ」は古いアイヌ語で「この地に生まれた者」で、かつて天塩で長老のアエトモから教わり、「アイヌ民族が暮らす北の土地」という意味を込めている。

豊が松浦老人に「どこかに旅していたんですか」と尋ねると、「わしは今年七十になったから古稀の記念に富士山に登ってきた」。すると居合わせた人々が「爺さま、なに寝惚けたこと言っていなさる。富士は老人が登るような山でねぇ。下からおとなしく拝んでいなせょ」と一斉に笑い出した。

終活準備〈棺〉では、わずか一畳の茶室、建物の柱は全国の有名な神社仏閣、橋などの白鳳時代から鎌倉、江戸初期の古材を使用。床の間には暁斎画「北海道人樹木下午睡図」が掛けられ「わしが死んだあとは、この茶室を壊した材で、茶毘に付してもらうのじゃ」と面白可笑しく興味深い小説である。

五木寛之著『孤独のすすめ』を読んで

文筆家の五木寛之は平成二九年七月に『孤独のすすめ　人生後半の生き方』を、中公新書テクレから定価五六〇円＋税を出版、年末までに一四版を重ねた好調な売れ行きだった。

書き出しを抜粋略記しますと、老いにさしかかるにつれ、孤独を恐れる人は少なくない。体が思うように動かず、外出もままならない。不安だらけで鬱状態におちいかねない。

孤独な生活の友となるのは、例えば本です。読書とは、著者と一対一で対話するような行為です。体が衰えると外出ができなくなっても、誰にも邪魔されずに、古今東西あらゆる人と対話ができる。本は際限なく存在しますから、孤独な生活の中で、これほど心強い友はありません。

たとえば視力がおとろえて、本を読む力が失われても、回想する力は残っているはずです。残された記憶をもとに空想の翼を羽ばたかせたら、脳内に無量無辺の世界が広がっていく。誰にも邪魔されない、ひとりだけの広大な王国です。孤独であればあるほど、むしろ王国は領土を広げ、豊かで自由な風景を見せてくれる。

老年期の一番の問題は、生きる力が萎えることです。生きていこうという気力さえ、萎えてしまう。そんな中で、どう自分を励ますのか。メディアなどで盛んに言われているのは

◎ボランティアやＮＰＯの活動などにも参加して、なるべく積極的に他人とコミュニケーションをとる。

◎カラオケや団体旅行に行くなど、なるべく体を動かすようにする

◎いろいろなことに好奇心を持つなどです。

こういった考えには、どちらかといえば懐疑適です。というのも世の中には人とコミュニケーションをとるのが苦手な人もいれば、カラオケが嫌いな人もいる。

そもそも積極的になるエネルギーが萎えてしまった人、出かけるのも困難な人は少なくありません。そういう人は、どうしたらいいのか。弱っている人や衰えている人に「積極的になれ」「前向きにポジティブに生きる」などというのは、むしろ残酷なことではないかと思ってしまう。

人生は、青春、朱夏、白秋、玄冬と、四つの季節が巡っていくのが自然の摂理です。また玄冬なのに青春のような生き方をしろといってもそれは無理です。

だとすれば、後ろを振り返り、ひとり静かに孤独を楽しみながら、思い出を咀嚼したほうがよほどいい。回想は誰にも迷惑をかけないし、お金もかかりません。繰り返し昔の楽しかりし日を回想し、それを習慣にする。

孤独を楽しみながらの人生は決して捨てたものではありません。それどころか、つきせぬ歓びに満ちた生き生きとした時間であるのです。

本書は三〇万部を超す大好評で、平成三一年三月に『続・孤独のすすめ』七八〇円＋税が出版された。

『北海道大学スキー部一〇〇年・山スキー部五〇年記念誌』出版される

『北海道大学スキー部一〇〇年・山スキー部五〇年記念誌』編集委員長在田一則ほか二六名、平成三一年三月二〇日、発行は北大山とスキーの会代表・長沼昭夫。A四判、四二五頁、限定出版価格五千五百円。

本書は大型A四判で厚さ二五ミリの膨大な頁数。巻頭の「発刊にあたって」は北大山とスキーの会・長沼会長で、書き出しを略記すると「北海道大学スキー部は日本で初めての学生スキークラブとして明治四五年に創設されました。その三年ほど前、ドイツ語のコーラー先生が故国スイスからスキー板を取り寄せ、学生たちが北大構内で滑ったのが北海道では最初のスキーと言われています……」と述べている。

巻頭の二八頁ものグラビアには羊蹄山初登頂（大正九年）やヒマラヤのメラピーク遠征（昭和四八年）、OBの三浦雄一郎もカラー刷りで登場。

目次は八章構成、①北海道大学スキー部・山スキー部通史　②山スキー部の活動　③語らいの場（山小屋・部室・歌集など）　④追想、回想、紀行、随想　⑤追悼　⑥北海道大学スキー部一〇〇年・山スキー部記念行事　⑦補遺　有史以前の山スキー部・山スキー部のスキー基礎指導要領試案とスキー検定会など　⑧記録・資料編　北大スキー部山班および山スキー部部誌『むいね』一号（昭和三三年）～五一号（平成二七年）総目次など。そして最終面「編集を終えて」では「本記念誌の記述にあたっては、北大スキー部の先人の足跡『北大スキー部創立拾五年記念』

『北大スキー部部報』一、二、三号。『北大スキー班班報』一号。『北大スキー部ＯＢクラブ会報』『北大山とスキーの会会報』、そして山とスキー部部報『むいね』などが基礎となっているとある。

私は『北海道登山史年表』を作成していたので、古い貴重な北大山とスキーの会『山とスキー』一号〜一〇〇号、大正一〇年六月〜昭和五年八月刊行。続編『山と雪』一号〜一〇号、昭和五年一〇月〜一〇年一月発行。北海道帝国大学スキー部『拾五周年記念』大正一五年一二月発行。北海道帝国大学スキー部『部報』一号、昭和六年一二月発行。同二号、昭和八年一二月刊行。北海道帝国大学報国会全学会鍛練部スキー部北大スキー班『班報』一号。昭和一八年一二月発行『部報』。『登山スキー術の手引』北大山岳班、昭和一七年改定版などは古書店から購入して所持していたが、『むいね』の存在は知らなかったので「目次」を熟読している。

北大構内には「北海道大学総合博物館」があり、「日本におけるスキーと北大スキー部の一〇〇年」展が平成二四年一〇月から一二月にかけて開催され、私の所蔵する「昭和初期のスキーや登山に関する資料」を展示して戴いた。

また、平成一八年六月に北海道大学創基一三〇周年記念　北海道大学総合博物館第三三回企画展として「北海道大学の山小屋」が開催され資料を提供していた。

『山の履歴簿　山と人の関わり』

渡辺隆著『山の履歴簿　山と人の関わり』第三巻、大雪山・北海道北東部。北海道出版企画センター、二〇一九年一二月一〇日発行、A5版　四七九頁　四五〇〇円＋税。

渡辺隆氏は、長年の調査で『山の履歴簿』全四巻を目指し編集調査を続けてきた。第三巻は年末に発行されたばかりである。

本書の主眼は、山岳と炭鉱である。北海道における山と人との関わりは安政四（一八五七）年に始まり、今までおよそ一六〇年余。この間に人々はどのように山と関わってきたか、その記録を調べて纏めている。この編集内容はどこにも類をみないだろう。凄い驚きである。古文書に掲載された山名や語源と思われる川名など、現在使用されず消えてしまった地名も多々ある。

本書はⅠ編＝各山域の範囲と特徴、Ⅱ編＝山の履歴、Ⅲ編＝山小屋と登山基地、Ⅳ編＝登山記録、Ⅴ編＝遭難事故、Ⅵ編＝炭鉱・鉱山・鉄道、Ⅶ編＝付録、Ⅷ編＝山名索引の八編構成。

掲載された約七〇〇の項目を見ると、山の名称、山の位置、山の特徴、登山コース、山小屋と登山基地の変遷、登山の記録、遭難事故、スキー場、同名・類似の山名、特徴的なのはそれぞれの山名が掲載された古い資料から探し出していること、さらにアイヌ語地名の由来・解釈である。このうち登山と遭難事故の記録については、北海道の資料不足のため、掲載もれがあるかもしれない。

昭和前半期の北海道は石炭の規模がきわめて大きく、「ヤマと言えば炭鉱」のことを言うように炭鉱に関わる人びとが多かった。この歴史は忘れることはできない。その名称や位置、沿革、石炭などの生産量、従業員数、坑内の死亡事故、また専用鉄道の足跡も詳しく載せている。

本書は昨年発行予定だったが、原稿を保存していたハードディスクが、昨年九月に起きた北海道胆振東部地震で机から落ちて壊れ、データが消失。その後、紙の資料や記憶を頼りに書き直し、予定より一年遅れで完成出版された。

著者は昭和六四年に長野県の槍ヶ岳で滑落事故に遭遇し、全身を骨折する大怪我を負い、後遺症で山に登れなくなった。「北海道の山の歴史を書き残そう」と本書の出版を計画、古地図などの資料の収集を始めた。

道内の山名に多いアイヌ語を学ぶためアイヌ語地名研究会（札幌）の創設に加わり、古地図や文献をひもときながら山名の調査を続けてきた。

既刊の第一巻は「道南と道央」二〇一三年四月発行。第二巻は「日高、空知、十勝の北海道中央部」二〇一五年六月発行。次回発行の第四巻は「北海道北部」で全域を完結する。

著者は更に北方四島やサハリン南部を含めた山名を網羅するという壮大な構想に取り組んでいる。古文献に出されていた山名やその語源と思われる川名のうち、現在は使用されず消えてしまった地名が多々あり、ここにアイヌ語地名が隠されているのだという。

水越武写真集『日本アルプスのライチョウ』を読む

新潮社から令和二年三月二五日に水越武写真集『日本アルプスのライチョウ』が出版された。二〇×二一・五センチ、一一九頁、定価五千五百円＋税。表紙帯に「八〇歳を超えてなお厳冬期の冬山に分け入る孤高の写真家が、半世紀にわたり追い続けた〝神の鳥〟ライチョウ」とある。解説は信州大学・中村浩志名誉教授である。

目次は、（春）光みなぎる山上での出合い　（夏）花の咲く楽園で子育てをする　（秋）色彩あふれる中で雪を待つ　（冬）長いやすらぎを与える雪の季節。そして頁を捲ると、北アルプス四季折々の写真、そこにライチョウが茶褐色から純白の色に変化していく姿などを、接近して活写している。

解説文は◆ライチョウ物語の始まり　◆初めてのライチョウとの出合い　◆日本のライチョウは人間を恐れない　◆宮沢賢治とライチョウ　◆山恋い・私の日本アルプス　◆ライチョウの伝説　◆海外でのライチョウとの遭遇　◆ライチョウは「雷の鳥」と記される　◆ライチョウの越冬地　◆初期のライチョウの画譜。

どの頁を開いても見応えがある。

高澤が初めてライチョウと出合ったのは、平成一一年一〇月八日である。剣岳の地獄谷から浄土川を渡り、雷鳥沢のガレ場を登ると、高山植物は黄色く霜枯れしていた。ハイマツ帯に出ると、羽を白く雪化粧したライチョウが、濃霧で天敵に襲われないので、安心して群れていた。

話は変わるが、写真集出版前の三月一四日の「朝日新聞」夕刊に「ライチョウよ再び中央アルプスに挑む　半世紀前〝絶滅〟五年後一〇〇羽目標　環境省」の大見出しで報道された。概記すると

国の特別天然記念物ライチョウが絶滅した中央アルプスで今夏、環境省で「固体群復活作戦」を展開する。五年後に約一〇〇羽まで増やして完全復活を目指す。絶滅危惧種では外来種を持ち込んで復活したトキやコウノトリの例はあるが、在来の個体での試みは極めて珍しい。

ライチョウは本州の高山帯に生息。一九八〇年代の調査で約三千羽だったが、現在は二千羽以下まで減り、種の存続が危ぶまれている。同省は二〇一四年から保護・増殖に取り組み、生態数回復を目指している。

ライチョウの生態は未解決な部分が多い。パズルのピースを埋めるような作業の連続で保護、増殖が図られてきた。

北アルプスの乗鞍岳から野生の卵を動物園などの施設に搬送して人工孵化に取り組んだり、野生のヒナの生存率を高めるために、南アルプスの北岳でケージを使って家族を保護したり試行錯誤の末、北岳周辺では八なわばり（雄・雌のつがい）まで減った生息数を、三五なわばりを回復させた……などと記載。

そして「保護ケージから散歩に出るライチョウ親子」「南アルプスの北岳山頂近くに設置されたケージ、ハイマツをかぶせてネットを覆う」と写真二枚を添えている。

札幌・門田ピッケルの思い出

門田茂は明治四三年に樺戸郡浦臼村で鍛冶屋の次男として生まれ、大正一一年に札幌市（現在の中央区南一西一二）の鉄工所に転居。山鼻尋常高等小学校を卒業し、父の直馬に仕込まれながら農機具専門の鍛冶職として働いていた。

昭和五年七月、北大の学生・和久田弘一が、世界一級品ジェンク（スイス）のピッケルを持ち込んで、製作を依頼された。そこで門田は素材はモリブデン・ニッケル・クロム鋼。約一千度から八百度の火床で鋼を焼き、父と共にハンマーで相打ちする。これを三〇数回繰り返し、鋼をピッケルの寸法に合わせる。シャフトは野球のバットと同じヤチダモの木を用い、先端のハーネスとシュピッツェ（石突）も鋼を用い、重量は約七千五百グラムのピッケル四本を製作し和久田に渡した。「門田ピッケル」の誕生である。日本では仙台の山内東一郎が二年前から作っていた。

海外遠征隊に最初にピッケルを提供したのは昭和一一年、立教大学登山隊がヒマラヤのナンダ・コート（六八六一メートル）に遠征。その時の氷壁にピッケルが耐えられるかどうか心配で夜も眠れなかった。見事に成功し、一層自信をつけることになる。

昭和一五年に戦争が始まり、鉄金属節約のためピッケル・アイゼンは禁制品となり製造中止。茂は一八年から二年間出征し、北千島に赴く。

昭和二九年に父が病死され、三一年に琴似町山の手に工場を移築。同年日本山岳会がヒマラヤの八千㍍峰マナスルに挑む登山隊のピッケルを製作。第一次南極観測隊の装備は、門田ピッケル三〇本、アイゼン四〇足を持って行った。普通鋼は零下五、六度で変質してもろくなるが、門田製は特殊鋼なので頑丈である。

私はまがいもののピッケルを仲間から譲受け、昭和五〇年元旦に愛山渓温泉から愛別岳に登山中、シャフトが折れ、危うく滑落するところだった。翌年、秀岳荘から「札幌門田・秀岳荘」刻印入り、二つ穴あきのサミット・アタックを購入。昭和五二年一二月三〇日から翌年一月二日にかけて札幌山の会の仲間六人で、当時まだ未踏尾根だった日高山脈神威岳南西尾根を直登して登頂を果たした。この使用したヤチダモのウッドシャフト・ピッケルは最後の市販品で、正にこの製品の最盛期だったのである。

昭和六〇年に日本山岳会は創立八〇周年を迎え、記念として門田マーク及びＪＡＣマーク入りを限定百本を予約募集した。それが予想外に希望者が多く五三二本もの申し込みがあった。門田は会員であり、断る訳にはゆかず製作に励んだ。しかし、翌年三代目の鍛冶職を継いだ門田正の病状が悪化しＪＡＣ刻印入りピッケルは三二五本を打ち終えて廃業を決意した。平成一〇年一一月三日に茂は札幌市で逝去、享年八九歳。冥福を祈りたい。

現在のピッケルは木製からメタルシャフトに変わり、登攀目的に応じて多様化され、急角度のピック、短いシャフトとなっている。

深田久弥と八木義徳の交遊録

八木義徳は明治四四年に室蘭市生まれ、北大水産専門部を中退し早稲田大卒業。横光利一に師事し「海豹」でデビュー、昭和一九年に「劉廣福」で芥川賞、五二年「風祭」で読売文学賞、平成二年に菊池寛賞、一一年に東京都町田市の病院で死去された。

八木は昭和一九年三月に招集令状を受け、軍用船の貨物運搬役を命ぜられ中国へ。奇しくも「深田久弥少尉」と書かれた行李があって驚いた。八木は出征に先立って『日本文学者』創刊号、同年四月発行に「劉廣福」を投稿、南京へと転戦中に芥川賞を受賞された。

中国衡陽の兵舎に深田少尉が突然八木を訪れ「芥川賞おめでとう。大隊本部に送られてきた新聞で見たんだよ」と知らせ、英国のスリー・キャッスル煙草を三箱も贈呈された。煙草に飢えていた八木は、さっそく一本を抜き取り口にくわえると、深田は火をつけてくれた。

湖南省龍頭舗に駐屯中、深田は俳号「湖南子」として隊員と句会を興じ、毛筆やペン書きで回覧句誌『龍頭』を五号まで発行。その指導ぶりは懇切をきわめ、鑑賞と批評、季語の使い方、句の姿と声調、写生と描写、句の品格と余情などを、いちいち噛んでふくめるような言葉で、惜しみなく与えていた。

戦後、深田は昭和二一年七月に復員、新潟県湯沢温泉西山西木屋に居住。翌三月二八日付で横浜市鶴見区の八木宅への書簡がある。

八木義徳様「いつかは御丁寧なお手紙有難う。又鎌倉の宅にもお訪ね下さった由、留守で失礼しました。小生は一ヶ月のうち若干日だけは鎌倉に帰りますが、後はずっとこちらに居ます。御返事をださねばと、終始心にかゝりながらも、君には簡単なハガキでも済まされず、筆不精にかまけて失礼してゐました。戦災の御不幸、何と申し上げていゝか分かりません。月並みな弔みも空々しい気がします。まあ。元気を出したへ。

君の噂は、文芸春秋社や実業之日本社の倉崎君や新潮の八木君や、いろいろな方から聞き、ひそかに御健筆を祝してゐました。『新潮』三月号で復員後始めて君の作品に接し、中々良いと思ゐました。フワフワした小説が多いですからね。今後のご活躍を期待しています。私もボツボツやってゐます。一緒に戦地に居た連中をなつかしく思ひ出しながらも、まだ誰にも行きあひません。お會ひになったらよろしくお伝え下さい。又お便り下さい。」

深田久弥は昭和四六年三月二一日に山梨県韮崎市稲坂町の茅ヶ岳登山中に脳卒中で急死。八木は『文学界』昭和六一年三月号に「命三つ」と題し、深田を追悼し多くの句から五句を選んで掲載している。

芽柳に川迂回して橋孤なり
丘明るし菫の近に横たはる
ふるさとに似たる山あり遠霞む
頭の青き兵好もしき涼みかな
天日にわれ恥づるなし野天風呂

水森かおり「水に咲く花・支笏湖へ」

札幌山の会創立五〇周年記念式典が平成三〇年七月一四～一五日に、千歳市支笏湖の休暇村支笏湖ホテルで開催された。ホテルに入って驚いたのは、展示場に歌手・水森かおりの「水に咲く花・支笏湖へ」が等身大のパネルで飾られていた。私は水森のファンなのでカメラを持参していた寺本彰治会員に頼んで撮影してもらった。この歌は同年三月二〇日に発売されたものである。

「水に咲く花・支笏湖へ」　　作詩：伊藤薫、作曲：弦哲也、編曲：前田俊明

水の中にも　花が咲く　　北の大地の　湖に
あてもないまま　支笏湖へ　爪の先まで　凍らせて
辛い心で　見る空は　晴れているのに　涙雨　（2・3番略）

千歳市では観光振興に役立てようと、五月に「ご当地ソングの女王」である水森さんに千歳市観光PR大使に任命、任期は一年間。第六九回支笏湖湖水まつりが六月三〇日と翌日に支笏湖温泉の湖畔で催され、水森さんは支笏湖をイメージした群青色の衣装で熱唱された。

水森さんは大晦日に放映された第六九回NHK紅白歌合戦にも、連続一六回出場し「水に咲く花・支笏湖へ」を歌われた。

水森さんの過去の経歴は、札幌山の会・佐藤孝一会員が詳しいのでアドバイスを受けたので、若干紹介しょう。東京都北区で昭和四八年八月三一日に生まれ、本名・大出弓紀子（おおでゆきこ）城西大学女子短期大学を卒業、身長は一五三センチで私と同じ高さである。

平成七年に歌った「おしろい花」でデビュー。平成一五年に「鳥取砂丘」が大ヒットして、水森は「ご当地ソングの女王」と呼ばれるようになり、日本有線大賞や各種の歌謡賞を受ける。

平成一六年四月一四日に発売した「釧路湿原」で第三一回日本作詩大賞を受賞。

「釧路湿原」　作詩：木下龍太郎、作曲：弦哲也

愛の暮らしも　月日が経てば　どこかボタンの　掛け違い
釧路湿原……　荒野をめぐる　迷い川
別れたはずの　あなたの胸に　いつか心は　後もどり（2・3番略）

釧路市の釧路川下流・幣舞橋そばに「釧路湿原」の歌碑が、平成一七年に釧路観光協会によって建立され、スイッチを押すと水森さんの歌が流れる。

このご当地ソングは「東尋坊」「鳥取砂丘」「熊野古道」など次々と発売され、いずれも恋に破れて一人旅する歌であり、心の傷を癒すために全国を行脚しているという。

北海道の歌は「宗谷本線　比布駅」〈愛をなくした女がひとり　涙こらえて北夜行〉、そして「定山渓」「天塩川」がある。

歌手・山口ひろみさんの講演に感動

平成三〇年九月二三日に、近所の友人から白石区菊水・札幌白石平和講堂で、一三時半から一時間「さわやかセミナー」と題し、北島三郎の門下生・山口ひろみさんの講演があるので……と誘われた。

毎週土曜日朝五時半から、BSテレビ7チャンネルで「サブちゃんと歌仲間」の番組があり、時々、山口ひろみさんも出演しているので、楽しみにしながら参加した。

当日は大勢参加され、私は耳が悪くよく聴き取れないので、最前列の席に座った。

定刻、司会者の紹介で、ひろみさんはノスタルジックなワンピース姿で登場。自己紹介などさまざま語られた。歌の話になると「いつも歌は着物姿ですが、今日は持参しなかったので……」と得意な艶歌を披露された。

平成二四年一月一一日発表の、札幌を唄った「その名はこゆき」（作詩：数丘夕彦　作曲：原譲二　編曲：南郷達也）。

北の女を　くどくなら
ひとり冬越す　つらさがわかる
雨の雨の札幌　とまり木同志
その名はこゆき　（二・三番略）

秋の終わりに　するがいい
女ごころに　日暮れが早い
こぼれたお酒で書いた

また、平成一八年一一月一四日に新曲発表会を知床ウトロ漁港で開催した「知床番屋」（作詩：木下龍太郎　作曲：岡千秋　編曲：南郷達也）。

ようやく海明け　流氷が　北へ戻った　オホーツク
男と女の　知床番屋　これからしばらく　恋休み
漁師は船出が　早いから　甘えちゃいけない　夜明けまで　（二・三番略）

今年二月に発売された「紅の雨」（作詩：伊藤美和　作曲：桧屋さとし　編曲：伊戸のりお）を歌いながら、演台から降りてきて、私に握手を求められたのには驚いた。そして歌いながら次々と観客と握手を交わしながら喜ばれていた。

山口ひろみ。本名・山口孝美、ニックネーム・みーちゃん。大阪市で昭和五〇年六月二日に生まれ、立命館大学在学中に北島三郎の弟子となる。当時は横浜Fマリノス通信員として選手達の活躍をレポートしていた。

平成一四年五月にテイチクから「いぶし銀」（作詩：仁井谷俊也　作曲：徳久広司　編曲：南郷達也）でデビューした。六月に梅田コマ劇場で「北島三郎特別公演」に出演。一一月に全日本有線大賞新人賞を受賞。翌一五年と一六年にテイチクレインボーコンサートを札幌でも開催した。一七年七月に豊田スタジアムで第一回「祭座ニッポン」北島ファミリーが総出演。二〇年と二二年には、アメリカ・ロサンゼルス日本劇場で出演された。

登山家・栗城史多氏の逝去を悼む

檜山管内今金町出身の栗城史多さんは札幌市清田区の札幌国際大学在学中に、大雪山や富士山で高所登山訓練を実施。三年生の二〇〇四年六月一六日に北米のマッキンリー（六一九四㍍）登頂。翌〇五年一月に南米アコンカグア（六九五九㍍）、六月に欧州エルブルース（五六四二㍍）、一〇月にアフリカのキリマンジャロ（五八九五㍍）と世界七大陸最高峰を目指していった。

北海道広報広聴課編『ほっかいどう』一五五号、〇六年一月三一日発行に「特集：輝け、北の若者たち！」として「山と対話しながら七大陸最高峰に挑む。世界初、単独登頂でのセブンサミッターをめざして。栗城史多さん」と掲載された。

〇六年一〇月にオセアニアのカルステンツ（四八八四㍍）、〇七年五月にヒマラヤのチョー・オユー（八一五三㍍）、一二月に南極のマウント・ビンソン（四八九七㍍）、〇八年九月から最高峰エベレスト（八八四八㍍）に挑むことになる。

栗城さんは挑戦を前に〇八年八月九日に、JR札幌駅北側にあるLプラザで「困難に挑戦することで若い人たちを元気づけたい」として、今まで挑んだ六大陸登頂の経過などを講演。一三年五月三〇日に札幌市白石区の市産業振興センター内に「インタークロス・クリエイティブ・センター」が設置され、そのオープニング・イベントとして栗城さんのドキュメンタリー映画を放映。また八月四日には東京電力福島第一原発事故で非難が続く福島県飯舘村の小学生二九人と一緒に札幌の藻岩山（五三一㍍）に登り「つらくても一歩一歩前に進んでほしい」と気遣っていた。

エベレストに最初に挑んだのは〇九年、酸素ボンベを使わずに単独行なので登頂を果たせなかった。一二年秋の四度目のエベレストは難ルートの西稜から挑み、厳しい環境に身を置き、強風と低温の中で無理を重ねた結果、凍傷で両手の指九本を切断した。

一八年五月に栗城さんは（三五歳）で、八度目のエベレスト挑戦。一二日にベースキャンプを出発し、「苦しみも困難も感じ、感謝しながら登っています」とフェイスブックで伝え、二一日に「体調が悪く七四〇〇㍍地点から下山することになりました」と連絡。そして無線に反応しなくなった。捜索隊が標高六四〇〇㍍地点から出発し、二一日に遺体で発見された。このエベレストでの遭難死は、新聞やテレビで大々的に報じられた。

栗城さんの告別式は、せたな町の龍光寺で営まれ、お別れ会は札幌市中央区北四西六のホテルポールスター札幌で六月一七日。今金町の東部ふれあいホールで同月二四日に行われた。

著書は、栗城史多著『ＮＯ　ＬＩＭＩＴノーリミット』自分を超える方法。サンクチアリ出版、一一年一一月一〇日初版、没後、一八年八月一日に第九版、定価一四〇〇円＋税。栗城史多著『弱者の勇気』小さな勇気を積み重ねることで世界は変わる。学研パブリッシング、一四年一〇月九日、定価一四〇〇円＋税。が出版された。

平中忠信氏の逝去を悼む

札幌市北白石地区センター事務局の依頼で「家庭でも楽しめる、やさしい俳句教室」を平成二七年七月から毎月第一、第三水曜日に開催していた。

そこへ率先して参加されたのは平中忠信氏であった。俳号は「馨」で、当時の提出句を紹介すると

鈴虫の高き声する狭き庭
コスモスや首を振り振り踊りだす
渡ろふと思ひ暮らす冬の月

平中氏は文筆家で文芸誌『札幌文芸』に投稿していた。六〇号に小説「しだれ桜」、六一号に随筆「ハンセン病と文学」、八一号にレポート「赤とんぼの詩碑をめぐって」、八三号（平成二七年八月発行）にルポルタージュ「隔離の里で命の喜びをもとめる人びと―ハンセン病の里をたずねて―」を寄稿している。

ハンセン病（ノルウェーの医師ハンセンが発見されたのでその名がある）は皮膚や神経などを侵す慢性の伝染病。現在では医療技術が進歩し患者は僅かである。

明治四〇年にハンセン病の予防に関する法律が施行され、患者の人権が著しく侵害された。

平成八年にこの法律は廃止され、これによって国立療養所に入所。入所者の外出制限などの差別は廃止された。このハンセン病苦難時代に、平中氏はボランティア団体「北海道はまなすの里」を設立し、四〇年近く支援活動に尽力された。

平成二八年一〇月二日に幕別町立図書館で講演会を開催し、「国の強制隔離政策で、道内から五二八人が療養所に収容された。また、隔離政策が誤りだと認められた現在でも、高齢者や偏見への恐れから療養所などで暮らしている」と説明された。

平成二八年四月六日の句会で、私が編集発行した『山書趣味　特集：坂本直行　著書と絵画』を差し上げ、折り返し返信葉書を頂戴した。「前略　いつも貴重な資料をいただき感謝します。前回頂いた日本山岳文化学会論集「幕末から明治にかけて全国の山を行脚した松浦武四郎」を読みました。その三重県の松浦武四郎資料館を訪れたことを想いおこしました。今回の『山書趣味　特集：坂本直行』は、すみからすみまで読みました。一度、日高の山里を訪ねたことがあります。札幌に居住してからも会っています。絵画の日高山脈の美は直行さんの心を込めた作品ですね。大雪山へは昭和一八年に愛山渓温泉から初登頂。その後何度も登っています。トムラウシ山へは一度台風に合い、遭難寸前に十勝の新得町に友人が居たので助けられました。私は九〇歳、背中管内病気で腰が曲がらず、この一、二年で歩行もままならず、高澤さんの著書で夢が蘇ってきました。今後とも宜しくお願いします。」

平中忠信さんは、平成三〇年五月二二日に多臓器不全のため、岩見沢市の病院で死去（九一歳）。葬儀は札幌カトリック協会で行われました。ご冥福をお祈りします。

小須田喜夫氏の逝去を悼む

小須田喜夫氏は、戦前の学生時代は東北薬科大学山岳部に所属し、蔵王山、大朝日岳、早池峰などに登っていた。戦時中は旭川北部第三部隊に入隊し、軍隊のスキー部長を務められ、近郊の山で指導登山。戦後復員後は、大衆登山を目指した札幌山岳倶楽部に入部し、昭和二四年一二月から翌年一月にかけて十勝三股から音更山、石狩岳に登る。

北大山岳部の中野征紀氏から「日高山脈中ノ川から頂上へはまだ登っていない」と聞かされ、また「スノーブリッジの高捲き、樹木を伐採し川に橋をかける」などを教わって、この中ノ岳登山を決意する。

昭和二六年一二月から翌年一月にかけて、日高山脈未踏の中ノ川から中ノ岳に挑んだが、参加者の登山技術が揃わず頂上直下で断念せざるを得なかった。

昭和二七年四月に小須田氏は札幌山岳倶楽部を退会し、札幌山岳会を創設。一二月二八日から翌年一月一三日まで中ノ岳に再挑戦し、一月七日に登頂を果たしたが、西海岸から挑んでいた北大山岳部が一日に既に登っていて、第二登となる。この記録を『岳人』七二号（昭和二九年四月号）に、小須田喜夫著「北海道・中ノ岳登山」と題し、写真、略図入りで四頁にわたって寄稿している。

翌二八年一二月二九日から一月一二日にかけて知床半島羅臼岳から硫黄山に冬期初縦走を成し遂げた。二七年末から京都大学山岳部が知床岳から硫黄山東峰へ縦走したが、本峰には登っていないので実施した。

昭和三四年七月に清水孔版社から、山岳雑誌『北海道の山』を創刊。小須田氏は三号に「初心者のための冬山指針」、七号に「冬山経験・雪をみたらなだれを思え」など、登山の技術指導を執筆された。

小須田さんと頻繁に会うようになったのは、平成二年五月開催の日本山岳会北海道支部総会で、第五代支部長に就任してからである。

当時、私は編集委員を担当し、支部運営を盛り上げるために奔走していた。特に登山行事は参加者を多く募っていた。平成二年の狩場山、十勝岳から富良野岳。三年の雷電山、羊蹄山、雄鉾岳、四年のニセコアンヌプリ、比布岳から愛別岳、芽室岳などの諸行事。

支部長退任後は、東京本部での評議員を四年間務められた。

平成一一年七月に日本山岳会北海道支部は創立から三〇周年を迎え、記念誌『北海道山岳』の編集で多忙な日を送る。

小須田さんに「中ノ岳（ルウトウルオマップ岳）～その時代の回想あれこれ～」と題し、ルート図、写真は「東山稜より望む中ノ岳」「小須田リーダーを先頭に六名が登頂」（写真は小川猛）を四頁にわたって執筆して戴いた。この原稿用紙六枚、掲載しなかった第一次登山時の「C2直前の橋かけ作業」「大函の嶮〝南無三宝〟」の写真は、今も私の手元に残っている。

小須田喜夫さんは平成三〇年六月三日に、九七歳で永眠された。長年のご交誼を深謝申し上げます。

追悼　山崎英雄さんを偲んで

山崎英雄《ふさお》さんと初めてお会いしたのは昭和二九年春である。私は二六年四月に丸善㈱札幌支店に入社、三年後に医学書販売員を命じられた。北海道大学医学部、札幌医科大学、北海道各地の病院へ訪れて販売するのである。山崎さんは札幌医科大学生物学講師を担当されいて、山好きな先生なので毎月のように通ってお世話になっていた。

昭和三〇年九月発行の『山岳』第四九年に、三田幸夫著「マナスル・一九五三年　紀行」が詳記され、山崎氏は巻頭のカラー写真「マナスル（ロー部落より）」、記事中に「七三〇〇米付近より見た西蔵の山々」を挿入。中尾佐助著「科学班の旅」には、山崎氏は写真「ビムターコーチの朝」を挿入された。また、『山岳』第五五年には山崎氏は雪男調査隊に参加され「冬のソロ・クーンブ」と題し、大塚博美氏と共著で掲載ざれた。この『山岳』二冊は札幌医科大学に訪れた際に戴き、この書物に魅了され私は日本山岳会に入会した。

英雄さんは、ご尊父・山崎春雄氏の三男として誕生。春雄氏（一八八六〜一九六一）は北海道大学医学部解剖学第一講座教授、昭和二五年に札幌医科大学を創設し解剖学教授に就任し、三年後に退職された。

英雄氏の経歴を略記すると、大正一三年三月に札幌市中央区で出生。昭和一八年に北海道大学に入学、山岳部にも所属し翌年から六年間を山岳部幹事として活躍された。

当時は日高山脈の未踏ルートを各山岳団体が競って挑んでいた。山崎氏の初登頂を紹介すると、昭和二二年七月に上アブカサンベ沢からコイボクシュシビチャリ川を乗越し、カムイエクウチカウシ山南カールを直登しエサオマントッタベツ川を下る。二三年一月に札内川から札内岳、滑若岳を登頂。同年二月にイドンナップ岳。二四年一月に北戸蔦別岳。二五年一月にコイカクシュサッナイ岳からカムイエクウチカウシ山、一八三九峰を縦走。二六年一月に美生川から美生岳、一九四〇峰、ルベシベ山を縦走された。

山崎氏は北海道大学医学部附属医学専門部を経て、農学部生物学科に進学し卒業。昭和二七年六月に札幌医科大学解剖学教室に勤務、五七年に生物学教授となり、六年後に退職された。

一九五〇年代は世界各国がヒマラヤに目が向けられ、日本山岳会でもマナスル登山を実施され、山崎氏は第一次マナスル遠征隊に抜擢され参加。日本山岳会『会報』第一六九号（昭和二八年九月二五日発行）に山崎氏は「ヒマラヤの印象　マナスルより帰って」を寄稿している。

山崎さんは九〇歳までスキーを履いて近くの円山公園などを歩いていましたが、平成二七年四月二五日にご自宅で脳梗塞を発症し、二年半あまり車椅子に頼って介護生活を続けられたが、胆嚢炎を発症し入院。手術を受けて療養生活を送っていましたが、残念ながら平成三〇年八月一日に、九四歳五ヶ月の命を全うし他界されました。ご冥福をお祈り申し上げます。

福沢諭吉著『学問のすゝめ』で丸善が設立

福沢諭吉（一八三五〜一九〇一）は幕末・明治期の洋学者で啓蒙家。大阪で生まれ緒方洪庵の塾で学び、安政五（一八五八）年に江戸へ出て蘭学塾を開く。翌年横浜で蘭語の役立たないことを痛感し英学に転ずる。

万延元（一八六〇）年に咸臨丸で渡米。二年後に幕府の外交使節に随行し渡欧、仏、英、蘭、露など諸国を巡り、近代文明をつぶさに見学。

明治維新に蘭学塾を慶応義塾（後の大学）と名付け教育と著述に専念。明治五年に出版した『学問のすゝめ』の、冒頭は「天は人の上に人を造らず　人の下に人を造らず」と、万人の平等を主張し、学問を重んじる自主独立の精神を養うことを勧め、思想界に多大の影響を与え、二〇万部以上という驚異的な売れ行きだった。

早矢仕有的（一八三七〜一九〇一）は美濃国生まれの実業家。屋号は丸屋善七。有的は父の遺志を継いで医師を志し、大垣と名古屋に出て医学と蘭学を学ぶ。

慶応三（一八六七）年に江戸に出て、医術修業のかたわら蘭学を学び、福沢の慶応義塾に入門し指導を受ける。福沢はかねてから志していた西洋文物輸入の任務を有的に託した。

有的は新時代を担う者として、実業家としての素質と才能は充分に具えていた。そこで福沢の勧めに従って、西洋の書籍を主として薬品や雑貨など、文化の産物を輸入する貿易事業を担うことになる。

有的は福沢の紹介によって、芝神明前三島町にあった書肆岡田屋嘉七のもとに赴き、福沢の著書などの委託販売を乞うた。

有的は横浜で店の造作や陳列棚を作り、所蔵の書籍や東京で買い求めた若干の洋書を陳列、新浜町で明治二年一月一日に初めて書店を開業した。三年後に東京日本橋に書店として丸屋善七を開店し、外国書籍輸入の端を開いた。また、唐物店、仕立店、指物、薬店を開き、会社組織によって経営。同社社長として事業拡大に尽力した。

店名を福沢と相談し、世界を相手に商売する意味から、地球の球の字を取って球屋と名付け、これをマルヤと呼んだり、読みずらいので丸屋と改めた。丸屋の店主名は善八というので、丸屋善八とも呼ばれていた。それがやがて省略して丸善と呼ぶようになった。

明治六年刊『丸屋商社之記』に丸善と刷られている。一三年に丸屋商社は改組し、有限責任株式会社　丸善商社として公式に提出している。

その後、大阪、京都、名古屋などに次々と支店を増設していった。順調だった事業も、明治九年の火災での障害や、一二年に設立した丸善銀行が、政府のデフレーション（通貨の収縮・物価低落・不況現象など）のあおりで破綻し、倒産に追い込まれたのである。有的はその責任を取って社長を辞任された。

丸善は明治一七年に営業方針を改組され、延々と今日まで一五〇余年を経ている。残念なのは一万円札の肖像画、昭和五九年に聖徳太子から福沢諭吉となり、四〇年を経た令和六年から渋沢栄一に変更されるのである。

『學鐙』丸善創業一五〇周年記念号

丸善は明治二年一月に創業し、令和元年に一五〇周年を迎えた。それを『學鐙』第一一〇巻第二号（令和元年六月発行）に記念付録として「丸善創業一五〇周年特別号」が刊行された。

主な項目として、加来耕三「明治維新の課題を克服した　早矢仕有的」、河野佐江子「丸善の洋品と身体の近代化」、安岡孝一「丸善とタイプライター」、八木正自「丸善学校のマイスター八木佐吉」、岡田芳郎「學鐙という知との出会い」、「丸善出版物の歴史」「丸善一五〇年史」などがある。

『學鐙』の創刊は明治三〇年三月で、当初は『學の燈』と称し、三五年に『學燈』と改題、翌年に『學鐙』。さらに大正一三年七月号から『ＧＡＫＵＴＯ』とローマ字を使い、『學鐙』と定着したのは昭和一七年二月号からである。

丸善一五〇年の主な事項を略記すると

明治二年一月一日、丸屋商社を横浜で創業、日本初の株式会社である
明治三年　東京日本橋で丸屋善七店を開設
明治四年　大阪に大阪支店丸屋善蔵店、京都に京都支店丸屋善吉店と次々に支店を開設
明治九年　日本最初の国産マッチ独占販売
明治一一年　丸善インキを製造販売
明治一六年　「和洋書籍・文房具の時価月報」を発行

明治一八年　日本初の「英和雙解字典」出版
明治二六年　商法の施行により、社名を丸善株式会社と改称
明治三二年　外国雑誌新聞予約者宛直送開始
大正三年　米国製ローヤル・タイプライターの日本総代理店となる
大正五年　万年筆用の丸善アテナインキ製造販売
大正七年　モンロウ計算機輸入販売、日本総代理店となる
大正一一年　札幌出張所開設、昭和一一年に札幌支店となる
昭和一一年　折畳み傘を製造販売
昭和一三年　マルゼン計算機製造販売
昭和二九年　日本橋店に「本の図書館」開設
昭和三一年　ニューヨーク出張所開設
昭和四五年　マルゼン書店棚発売
昭和五六年　「丸善百年史」全三冊発行
平成三年　新書「丸善ライブラリー」を創刊
平成一九年　大日本印刷㈱と資本提携を強化し連結子会社となる。
平成二二年二月一日　丸善ＣＨＩホールディングス株式会社を設立。グループ会社として丸善雄松堂株式会社、株式会社図書流通センター、株式会社丸善ジュンク堂書店、丸善出版株式会社、株式会社ｈｏｎｔｏブックサービスが発足した。

食事文化の正月餅

餅は古代日本で生まれた「もちいひ」（持飯）で、これは携帯食としての意味合いがある。当時の祭事はほとんどが野外で行われていたため、それに列席する人々は携帯できる「もちいひ」を二枚重ねて、間に副食を挟んで持参し、神に祀ったとされている。

鏡餅は神に供え、士農工商の商売道具に供える。具足餅は武家の鎧兜などに供える鏡餅で、江戸時代では正月一一日に刃物を用いず手で割いて食べた。これを鏡開きという。

鏡開きの語源は、「鏡」は古代日本では三種の神器と言われ、神聖なものなので餅の形を鏡型の丸になぞらえたと言われている。鏡餅を食べるために、餅を砕くことを「鏡開」と言うが、これは砕く壊すの形容が不吉であることから、あえて「開く」とされた。

また、日本のおめでたい行事と言えば正月で、祝うのは雑煮である。この習わしは後醍醐天皇の曾孫に当たる良三王が、賊雑を逃れて尾張の対島で、永享八（一四三六）年正月元旦の朝、雑煮を祝ったところ、この年から運が開け、以来、美濃・尾張・伊勢地方に伝わった慣習があり、全国に広まった。

雑煮は古くから「ほうぞう」といった。臓腑を保養する意味で、保臓の字を当て、気力を増し、身を温め、小便を縮め、大便を固める効果がある。

古くから政治や文化の中心地だった、近畿地方から餅が祝事に使用された経緯はあるが、餅を禁忌した地方もあった。東北ではソバ、サトイモなどが優先され、九州ではダイコン、アワなどであった。雑煮の餅は本来丸餅で、丸く福やかなところから、福の餅として祝事に用いられた。東京などはあっさりと、蒲鉾のすまし汁に切り餅を入れてつくるが、京都などでは白味噌仕立てに丸餅を入れる。

北海道の風習は農山漁村文化協会が昭和六一年に発行した『日本の食生活全集聞き書き』・「北海道の食事」から概記すると餅搗は六や九のつく日を避け、一二月二五日から二八日までにする。大人と子供が一緒になって事前に切っておいた柳の枝先に餅の柔らかいうちに繭玉にして枝先に飾る。

三〇日は朝から神棚を掃除し松飾りを飾り、床の間には正月の掛軸をかけ、お供え、神酒を供える。玄関には門松を立て、注連縄を飾る。その日は一年で最も贅沢な夕飯を、家族そろって食べ、子供には何よりもお年玉が楽しみである。

一月一日は若水汲み。井戸から水を汲み神さまに若水、酒、雑煮餅。仏さまに若水と精進雑煮を供え、家族で元旦の膳を囲む。

二日にはご飯を仕立て、仏前に供えた割り箸をストーブで燃やし皆で温まる。これは悪病、虫よけの呪いなのである。

三日は雑煮または汁粉、五日は汁粉かのり餅、七日は小豆餅か粥餅を食べる。

七日は松引きで、松飾りをはずし、小豆餅や粥餅を神さまや仏さまに供えた後に食べる。

八日は天神祭りで、その日から家族の食事は普段どおりとなる。

俳人・櫂未知子さんとの交流

北海道新聞で毎週連載の「日曜文芸」欄、俳句部門は源鬼彦主宰が選者で、六句を選び解説している。その紙面下部のエッセイ欄には、俳句は「群青」共同代表・櫂未知子さんが「十七音の旅」。短歌は北海学園大学教授で旭川市の三浦綾子文学館理事長・田中綾さんとが交互に連載している。

櫂未知子さんの道新連載「十七音の旅」平成三〇年四月二九日に、私の実家では「新学期になったけれども、まだ寒い」と思える時期に「今日はバーバリーを着て行きなさい」といつもいわれた。そう、小学校からずっと。バーバリーが何なのか知らぬまま、「本格的な外套を着ずに済む時には、どうもこういうらしい」とだけ認識していた。

ところが、北海道以外では、春に着るコートをバーバリーとは言わないらしいと知って驚愕した。道内でも余市でしか適用しないものなのか、あるいは他の市や町にもあるのか、悩ましい問題である。もしも「わが町でもそういう」というかたがいらっしゃるなら、ご一報ください。……と記載されていた。

そこで、高澤はバーバリーコートの由来を『丸善百年史』を調べてご連絡した。すると道新日曜文芸「十七音の旅」六月一〇日に、先日来、話題にしている「バーバリー」に関し、札幌の丸善に勤めていたというかたから、直接おたよりを頂いた。丸善といえば書籍の印象が強いが、「本物のバーバリー」は丸善が昭和初期から輸入販売していた。本に限らず、日本人の文化全般にわたって同社は貢献していたことになる。

そのおたよりの主の高澤光雄さんは、自著も送ってくださった。書名は『山旅句　エッセー集』、著者は山を愛し、山を舞台に俳句を詠み続けてきたという。本書の中心は、ヒマラヤや日本の名峰に登った時の随筆であるが、そこになんと、わが故郷余市のシリバ山が出てくるではないか。シリバ岬とも呼ぶこの小さな山は、小樽との境のごく短いトンネルを抜けると、いきなり目に飛び込んでくる。湾曲した海岸線の先に、あたかもハワイのダイヤモンドヘッドのような岬が見えてくるのだ（といって、私はハワイの実物を見たことがないが）。

青岬遠くで別れの汽笛鳴る　石崎素秋

「青岬」は夏の岬のこと、海へせり出すさまは、本当に夏が来たという感じがする。

本書の余市の章には興味深いくだりがあった。なんと、水産試験場の敷地内にある幸田露伴の句碑を訪ねたというのである。露伴は今ではあまり読まれなくなったが、かつて尾崎紅葉と並ぶ「紅露時代」と呼ばれるほどの時代を築いた文豪だった。私は大学院にいた頃は、露伴の小説『風流伝』を読み解く試みをしたが、とにかく文体が古いことに驚いた。「なるほど、読まれなくなったわけだ」と妙に納得した。その文豪露伴は、なぜか明治十八年から約二年間、余市の電話局で働いていたことがある。それを二十年前に知った私は、心から驚いた（末尾に「この項つづく」と記され、六月二四日連載で追記している）。

石炭の懐かしき思い出

私の育った頃は、毎年秋に馬車一杯に積まれて石炭を購入し石炭小屋に積まれていた。寒くなると石炭ストーブ、後に薄銅板製のルンペンストーブで炊いていた。

この燃える石を開発したのは、箱館戦争で破れ投獄後、開拓使に採用され鉱山担当に就任した榎本武揚である。幕末期に泊村の茅沼炭鉱を調査、丸木舟で石狩川を逆上し支流のトネベツ川上流（現在の三笠市幌内）へ進んで左右の山を調べ、調査結果を「石炭山取調書」として開拓使に提出した。

一方、開拓使では御雇外国人ケプロンに、全道の鉱山調査を依頼。明治一一年に煤田開採事務係を設置。翌年から官営幌内炭鉱の開発が本格化し、一三年に石炭運搬のため道内初、国内三番目の鉄道が小樽市手宮から三笠市幌内に開通。空知は一躍、国内エネルギー生産の最前線基地となった。

その後、幌内炭鉱は払下げになり、北海道炭鉱鉄道（北炭）が夕張や歌志内で開鉱。それにともない物流の要街として岩見沢が発展した。三井、三菱、住友など財閥も進出し、上砂川や美唄、赤平、芦別、奈井江、沼田、栗山でも炭鉱が開かれた。

炭鉱を支える工業地域として滝川や砂川も発展し、戦後の復興にも空知の炭鉱は大きく貢献した。昭和三〇年代の最盛期には百を超す炭鉱が稼働していた。

しかし、石炭から石油へとエネルギー転換が進み、閉山や合理化が相次ぎ、平成七年三月に歌志内市の空知炭鉱の閉山を最後に、空知から坑内掘炭鉱はすべて失った。

現在では「炭鉱の記憶、過去から今へ、そして未来へつなぐ」として、各地に残存する炭鉱関連施設が歴史を物語っている。

日本で石炭と読まれたのは、明治初期にドイツなどから採炭技術が移入し、ドイツ語のSteinkohleを訳して、なまったものである。それ以前は石炭（いしずみ）、燃石（こえいし）、烏丹（うに）などと呼ばれていた。

芭蕉の句／**香の匂いうに掘る岡の梅の花**／がある。また、具原益軒の『筑前国続風土記』（一七〇三年）『大和本草』（一七〇九年）に、燃石（もえいし）と登場。平賀源内『物類品隲』（一七六三年）には、石炭と書いて「もえいし」または「いしずみ」と読ませていた。

石炭とは岩波書店の『広辞苑』によると、過去の植物の遺骸が、地殻中に埋没・堆積し、漸次分解・炭化して生じる物質。炭化の程度によって泥炭・褐炭・歴青炭・無煙炭などに分けられるが、普通は歴青炭を指す。粘土や頁岩、砂岩などの互層間に層をなして存在。多くは古生代の後半、特に石炭紀（地質時代の古生代中、デボン紀の後、二畳紀の前の時代。三・六億年前から二・八億年前までの時代）に起源するが、日本の石炭は第三紀のものを主とする。燃料・化学工業などに使用。

石炭液化とは、石炭を高圧で熱分解し、水素添加を行って、合成石油を得る。

石炭化学は、石炭を原料とする有機合成化学。等々詳しく解説している。

詩吟の楽しさ

私の居住する町内に北郷長寿会があり、そこで俳句部の発足を提案され、平成三〇年一一月に入会し、参加者を募って初心者指導を始めた。

長寿会には詩吟部がある。私は昭和二六年に丸善㈱札幌支店入社。閉店後、様々な同好会があり楽しんでいた。私は歌が唄えないので詩吟部で指導を受けたが半年で退会。仲間で山岳部を結成し、参加者の紀行文などを纏め『部報』編集に専念した。

私の詩吟は六七年振りの復活である。詩吟は何と言っても声を出して歌う楽しさがある。音楽に自信が無くとも、声が良くなくても、誰でも気軽に習える。また歌いながら漢詩そのものを理解が出来、知らず識らずのうちに教養が豊かになっていく。

詩吟を始めるには基本的な訓練が大切です。訓練の量が多いほど、富士山登山のように高い山頂に達します。

まず、母音発声練習です。これは準備体操のように、美しい声を出すために、実行しなければなりません。基本形の七言絶句。例えば「川中島　頼山陽、鞭声粛々夜河を過る……」を選んで、繰り返し練習することです。上手になるにつれ単純に思える基本形の詩の吟じ方に、案外深い味が出てくるものです。

短時間でよいから、毎日吟じるよう努力し、自分の声と音域を正しくつかんで、無理な発声をしないこと。また病気や、風の強い所で吟じで喉を痛めぬよう注意することです。

人に聴いてもらい批評を受けること、流派は違っても発表会などに参加し、上手な詩吟を聴いて、耳を肥やすことが大切です。

詩吟は一種の発声呼吸法ですから、健康とは不可分です。古希を過ぎても張りのある音声を保ち、円熟した詩吟になるでしょう。近年では健康増進法の一つとして、詩吟愛好者が増えています。

漢詩の起源は、古代の民の歌として『万葉集』がある。中国にはもっと古代い『詩経』があり、いずれも民の素朴な歌の結集である。『万葉集』以外、『詩経』以外にも詩や歌謡があり、それらが結集して伝承してきた。

詩吟を吟じる習慣は古く、平安中期には漢詩や和歌を歌詞とする宮廷歌謡「朗詠」が盛んになった。後に和歌を読み上げる「歌披講」も行われた。江戸中期には儒学や国学が盛んで多くの漢詩が残され、学習者の間で吟じられるようになり、江戸後期に「詩吟」として流行した。流派に肥後（熊本県）の時習館流、江戸・湯島の聖堂流派などがあった。明治になると、これらの流派は衰退し、それに変わって幕末からの剣舞に合わせた、活発リズムの詩が好まれるようになった。

大正以後は、錦心流琵琶と結び付いて優雅艶麗のものも現れ、昭和になると、多くの女性が近代琵琶の諸流派から詩吟に転向し、芸能的な要素が高められた。

現在では、笛、尺八などの伴奏楽器を用いられることもあるが、基本的には無伴奏であり、題材も和歌、俳句などに求められ、音楽的な新工夫がなされつつある。

歩くうた

年のせいか、最近は相応の年配者が集まると軍歌の話がよく出る。明治三八～九年に眞下飛泉が、満州を舞台に作詩した軍歌一二曲の歌詞が配られた。私の知っていたのは、出征兵士を駅まで見送った時に「ここはお国の何百里　離れて遠き満州の……」と歌わされた『戦友』だけだった。

昭和一一年二月二六日、皇道派青年将校が一四〇〇人余の部隊を率いて挙兵。内務大臣や大蔵大臣らを殺害して永田町を占拠し、国家改造を要求した。いわゆる二二六事件である。この頃から日本は軍国主義国家として変貌していくのである。

昭和一二年一〇月に国民唱歌がラジオで放送開始され、第一回は万葉集の編者・大伴家持作詩『海行かば』で「海行かば、水清くかばね、山行かば　草むすかばね……」と、多くの人が歌わされた。

子供の頃によく唄ったものに『歩くうた』がある。「あるけ　あるけ　あるけあるけ、南へ北へ　あるけ　あるけ……」作詩は詩人で彫刻家、著書『知恵子抄』で有名な高村光太郎、その歌詩を図書館の音楽の棚で探したが無かったので、『高村光太郎全集』全二一巻を丹念に調べたら、昭和一五年作詩と分かった。楽譜を求めてレコード店に行くと『軍歌集』に収録されていると云うので、出版社に注文して取り寄せてもらった。

この歌の成り立ちは興味深い。支那事変の最中、昭和一三年四月に国家総動員法が公布され、翌年七月に国民徴用令が立法化された。

　国民の総てが赤紙一枚で、いつでも戦地に駆り出されるのである。戦地に送り込むには、丈夫な身体でなくてはイクサに勝てず、そこで厚生省では国民体育増進のために「歩け、歩け、運動」を提唱し、高村光太郎に依頼して、国民歌謡『歩くうた』が作曲された。この歌は学校で習った覚えはないが、ラジオで繰り返し放送され、自然と口ずさむようになった。

厚生省では歌と共に全国にハイキングコースを指定し、大いに歩かせた。札幌では札幌神社から小別沢トンネルを経て左股、そこから盤ノ沢に入り砥石山の東日ヒュッテで休憩、奥ノ院、藻岩橋、南二二条電車停留所までの二二キロが設定された。

　昭和一六年一二月八日に大東亜戦争が勃発、翌年一月の閣議で毎月八日を大詔奉還日と決定。その時、私は白石国民学校四年生、毎月八日になると、往復八・五キロもある白石神社へ、雨の日も雪の日も、参拝のため強制的に歩かされた苦しい経験がある。

　昭和一八年一〇月、学生・生徒の徴兵猶予を廃止し、一二月一日に学徒出陣が始まる。敗戦色が濃くなった二〇年三月には「女子挺身勤務令」が公布され、多くの女性が犠牲になりながら、悲惨な敗戦を迎えるのである。

　今では、そんな事を回想しながら、「路ある道を　あるけ　あるけ　路なき道も　あるけ　あるけ」と口ずさみながら山野を歩き廻っている。

歩くスキー大会に参加して

歩くスキーは北欧で盛んに実施され、日本では昭和四七年の札幌オリンピックを契機に、雪を楽しみながら健康づくりを目標として普及した。北海道では約四ヵ月間雪に閉ざされていたが、それがブームの発端である。

私は丸善㈱東京本社勤務を終え、札幌に帰ってから歩くスキーを知った。昭和六三年一〇月に歩くスキー教室で学び、スポーツ用品の秀岳荘で、幅の狭い芳賀スキー製作の歩くスキーとストック、その他足幅に合った靴、帽子、手袋などを購入して揃えた。

最初に参加したのは平成元年一月一五日の第五回滝野公園歩くスキー大会で一〇キロを滑って初体験。平地を滑るので、雪質の温度に適したスキーワックス（蝋）が必要（例えば〇度以上の気温が高いときはワックスを厚めに塗る）などで揃えた。

当時、さまざまな業界で歩くスキー大会が催され、スポンサーに予約して参加料を払うと、走行中に身に付けるゼッケン（参加者が胸や背につける番号を付した布）が渡される。手元に多く持参しているので、主なスポンサーを概記しよう。

北海道新聞社　大滝国際スキーマラソン
道新スポーツ　糠平湖—然別湖横断スキー
北海道体力づくり推進会議　道民・札幌市民歩くスキーの集い
信用金庫　健康ウォーク歩くスキー大会

札幌スキー連盟　宮様スキー大会　国際競技技会　宮様スキーパレード

私が受け取った「完走証」の一部

平成元年二月　タイムス、ファミリー大会
平成二年一月　雪祭りスキーマラソン／三月　糠平湖─然別湖横断スキー／四月　蘭越町ニセコ連峰歩くスキー大会
平成三年二月　札幌国際スキーマラソン大会／平成九年二月　北広島歩くスキー大会

受けたメダル　三二個から一部紹介

札幌スキー連盟　宮様スキー大会／札幌国際スキーマラソン大会／北海道ウォーキングスキー協会／恵庭クロスカントリースキー大会／滝野すずらん丘陵公園歩くスキー大会など。

北海道歩くスキー協会の会員となり、走行距離によってメダルが渡される。私は一〇〇キロを超して受け取った。平成八年に創立二〇周年なので一二月四日に、豊平区平岸の百景園で式典が催され参加した。

出席者総数二九二名、何と旧知の横江一郎氏（戦後、北海道山岳連盟発足以来事務局長などを歴任）はスキー協会の顧問である。そして私ども山仲間が昭和四三年五月に札幌山の会を創設。その第二代会長を務めた淡川舜平会員も当協会の顧問。日高山脈など多くの山に同行した医師の小島豊会員は医務担当理事。大音師忠一会員は技術部門の理事を担当されていて驚いた。

私は久し振りに令和二年一月一二日に札幌市の滝野すずらん丘陵公園で催された「障害者歩くスキーの集い」一キロコースに参加して楽しんできた。

昭和五六年八月の集中豪雨を経て対策が強化される

国土交通省北海道開発局札幌開発建設部では、昭和五六年八月に石狩川などが氾濫し観測史上最大の被害を被り、それを振り返る「石狩川豪雨　災害パネル展」が、札幌市中央区の札幌駅前通地下広場で、平成二八年四月二〇日から二六日まで開催された。

主旨は「石狩川の豪雨災害から三五年を経て、甚大な被害も時間の経過とともに記憶が薄れている。防災・減災への取組として広く一般の方に対し、意識の向上を図り、社会全体で常に水害に備える〈水防災意識社会〉を形成するために、改めて豪雨災害について知識を深めてもらうことを目的に、当時の被害状況写真や洪水事業を紹介する」とある。

このパネル展で幼き頃が蘇ってくる。祖父が明治三二年に札幌郡江別村大字篠津村江別屯田公有地に小作人として入植、水害に侵されながら一〇町歩を開拓。そこで昭和七年四月の水害時に住居は浸水、母は馬小屋の二階に避難して私を生んでくれた。

当時の石狩川は、冬は一面結氷し、温かくなると雪解水が一気に冠水、濁流となって土手を決壊して畑地に流れ込んでいた。

水害多発のその開墾地は、昭和四三年秋に築堤工事のため集団離農され、現在は増水時の流入を防ぐ堤防となっている。

平成一四年一〇月に江別駅から徒歩一〇数分で東光橋を渡り、千歳川河口に向かう大川通に「江別河川防災ステーション」がオープン。水防活動の拠点で、水防資機材の保管、災害時の避難場所、河川情報の提供、防災・避難用品の展示、学習コーナー設置によって防災意識の啓発高揚、水防訓練の場所となっている。二階は博物館の様相を呈し、明治時代に活躍した迫力ある外輪船・上川丸のレプリカ、水害の記録など克明に掲示している。屋上は展望台で眼下に石狩川、対岸は私の育った美原地区が拡がっている。

入場無料、九時開館。休館日は毎週月曜、祝日の場合はその翌日、年末年始は一二月二九日〜一月三日。

最近は温暖化にともない一〇〇年前に比べ札幌で二・四度、旭川、帯広で一・九度上昇、二一世紀末には三度上昇が予測されている。気温が上がると、空気中の水蒸気が増え、一気にまとまった雨が降る。真夏日が増えるとさらに降水量が増加する。

北海道開発局では、近年増加する集中豪雨や局所的なゲリラ豪雨を、六〇キロ以内はほぼリアルタイムで観測可能なXバンドMPレーダを開発。道内で初めて北広島市の防災ステーションに設置し、平成二五年度から配信開始。その翌年に石狩市の石狩地区地域防災施設（昭和六〇年に川の博物館として開館）にもレーダを設置し、札幌市を中心とする観測体制を強化された。

従来のCバンドレーダは、半径一二〇キロの広域的な観測であったが、開発されたXバンドMPレーダは観測頻度は五倍、分解能は十六倍である。従来は配信まで五〜一〇分を要していたが、MPレーダは一〜二分で配信可能となった。

幼少期の農耕馬の悲しい追憶

明治二六年に空知郡清真布（現在の岩見沢市栗沢町）へ富山県砺波団体が入植し共同開拓。三〇年に「開墾地無償付与」制度が実施され、私の祖父が砺波生まれなので、そこへ入植する予定で、三二年に家を出た。北海道へ渡る富山湾の新湊港で、小作人を募る仲買人の誘いに惑わされ、江別へと向かった。与えられた土地は、札幌郡江別村大字篠津村江別屯田公有地（現在の江別市美原）。生活費や農耕用具は県の交付金や地主からの借金で賄う。先ず掘建小屋を建て、農耕馬で荒れ地を耕す。農作物の収益金の半分は地主に支払うのである。

私はこんな貧しい小作農家の馬小屋で、昭和七年に生まれた。畑地を耕すのは農耕馬の役目。プラウ（土を耕す金属の農機具）を馬に牽かせる。さらにチゼル（鉄の爪を間隔的に並べ土地を細かく砕く）を引いて耕す。種蒔機や草刈機もある。

道路を移動するには車の付いた馬車、冬は馬橇である。農耕馬の多くは雌馬、季節に雄馬の所へ行って種付け。小馬が生まれると一緒に遊び、後足で蹴られて三㍍ほど飛ばされたこともあった。親馬に乗せられ道路を回遊、馬から落ちても逃げることなく、私が立ち上がるのを待っていてくれ、こんなに馴れ馴れしいのである。生まれ育った小馬は、やがて馬喰がやって来て買い取られ、収入源になる。この小馬との悲しい別れである。

明治四二年生まれの父は、過酷な農作業では子供も養えず、教育も充分に受けられないので、大東亜戦争が始まる直前、昭和一六年秋の収穫を終え、母の故郷である白石村に移住。江別から白石へは馬車に荷物を積み、父と私が乗り、半日がかり。母と子供四人は汽車で白石駅へ。

その馬も白石の母の実家に着くと、馬喰が待っていて、悲しみの別れで涙ぐんだ。

昭和三六年に、三橋美智也が唄った「達者でナ」がある。それを聞くと涙ぐむのである。

わらにまみれてヨー　育てた栗毛
あゝ　オーラ　オーラ　達者でナ
あゝ　風邪引くな　離す手綱が
今日は買われてヨー　町へゆく
あゝ　オーラ　ローラ　風邪引くな
ふるえ　ふるえるぜ

俺が泣く時やヨー　お前も泣いて
あゝ　オーラ　オーラ　達者でナ
あゝ　忘れるな　月の河原を
ともに走ったヨー　丘の道
あゝ　オーラ　オーラ　忘れるな
おもい　おもい出を

町のお人はヨー　よい人だろが
あゝ　オーラ　オーラ　達者でナ
あゝ　また逢おな　可愛いたてがみ
変る暮しがヨー　気にかかる
あゝ　オーラ　オーラ　また逢おな
なでて　なでてやろ

札幌市厚別区の「北海道開拓の村」には、さまざまな建物に馬車、馬橇、農機具が展示されていて、当時を思い出している。

高澤光雄著『北海道の山を登る』を発行

私は丸善㈱札幌支店に昭和二六年四月に入社。本のセールスマンとして多くの知遇を得ながら販売、五四年から東京本社勤務。その年に山岳図書出版の白山書房が発足。私は出版書を購入し知己人に勧めていた。

平成四年四月に満六〇歳となり職場を定年退職。奇しくもその月に白山書房から『山の本』が創刊、それを手にしながら老後の楽しみはこれだと思い、四号に投稿。後に「静山紀行」欄が設けられたので、知られざる山に登って投稿を続けた。「山の本倶楽部」が創設されたので入会した。

この白山書房発行の『山の本』が、二九年六月に一〇〇号となるので、それを記念して北海道地域だけを抜粋し、拙著『北海道の山を登る』を出版して戴いた。「紀行」は一二編、「静かなる山・憧憬の山」二四編、「登山略史」四編、「その他」アイヌのチャシなど三編の四章構成。四六判、二七九頁、定価一七〇〇円＋税。全国の主要書店で販売されたが、お近くの書店に注文しますと取次店経由で入手出来ます。

私の過去の執筆歴は、昭和三七年に清水孔版社（後の北海道出版㈱）から雑誌『北海道の山』が創刊、北海道の山名はアイヌ語からの転化が多いので「えぞ山名考」（当時の蝦夷は常用漢字ではないので〈えぞ〉）を一六号から三回連載。その後は登山史研究に没頭。四六年に北海道撮影社より雑誌『北の山脈』が創刊され、請われて「北海道登山小史」を三二回にわたって連載した。

平成一一年五月に仲間たちで同人誌『譚』を創刊。毎号「思い出の山旅」を連載していたが、高齢者揃いなので二三号（一九年）で終刊となった。

道俳句会・北光星主宰から、俳誌『道』に執筆依頼があり、平成一一年一〇月から「山旅句」として連載。それを一〇〇編まとめて二五年一〇月に『山旅句　エッセー集』、二八年一〇月に『随筆集　山旅句』を北海道出版企画センターから出版した。

私は多くの山岳団体に所属し、日本山岳文化学会、日本山岳会、日本山書の会、深田久弥を愛する会、深田クラブ、昭和四三年設立の札幌山の会の創設者でもある。

著書は平成七年一一月『羊蹄山登山史』倶知安郷土研究会。平成二三年六月の『北海道登山史探究』。二四年四月の『愉しき山旅』。同年一〇月『北海道登山史年表　一八七一～二〇一二年』。二七年五月『大雪山讃歌』と続けて、北海道出版企画センターから刊行した。

主な編集本は、昭和六三年七月、日本山岳会北海道支部二〇周年記念誌『ヌプリ』。平成七年五月『北海道登山記録と研究』札幌山の会。一二年五月『北海道の百名山』北海道新聞社。一四年五月『北の山の夜明け』日本山書の会。一八年七月『中央分水嶺踏査記録―宗谷岬から白神岬まで―』日本山岳会百周年記念　日本山岳会北海道支部。二三年七月、坂本直行著『はるかなるヒマラヤ』北海道出版企画センターなどがある。

高澤光雄「世界の山を登る」展を開催

江別市情報図書館で令和元年九月二八日から一一月二一日まで高澤光雄「世界の山を登る」展が開催された。

主題の海外登山は、私は平成四年に定年退職し翌年一〇月～一一月にネパール・ヒマラヤ、七年六月に米国オレゴン州最高峰フッド山、二三年三月にブータン・ヒマラヤ、二五年三月にネパール・ヒマラヤのアンナプルナ方面、同年七月にカムチャツカ半島、一二月にオーストラリアの最高峰ゴジオスコ山、二六年七月にヨーロッパ・アルプス、二七年六月にカナディアン・ロッキー山脈に訪れた。

展示品はショーケース三台とパネル。一〇月二五日に展示品を入替、三〇日に北海道新聞社江別支局長・山本哲朗氏から取材を受け、一一月一日の江別版朝刊に「江別出身　道内代表する登山史家　高澤光雄さんの業績紹介」と大見出しで報道された。

道内を代表する登山史家で江別出身の郷土史家でもある高澤光雄さん（87）＝札幌市白石区在住の業績を振り返る「高澤光雄・世界の山を登る」展が江別市情報図書館（野幌末広町7）で開かれている。著作に関する資料類や愛用品など約六〇点を展示。「日本百名山」の作家深田久弥（一九〇三～七一）や山岳画家坂本直行（一九〇六～八二）など著名岳人との交流の品々など初公開の資料も多く、展示に見入る来場者が多い。

高澤さんは一九三二年、江別市（当時は江別町）生まれ。立命館慶祥高の前身である札幌経済高を卒業後、書籍販売を手がける丸善に就職し一九九二年に定年退職。高校二年（一九四九年）で登山を始めて六八年、社会人山岳会の札幌山の会設立に参加。日本山岳会道支部副支部長、日本山書の会幹事などを務め、現在は日本山岳文化学会評議員。紀行や登山史を多数発表し、俳人、水彩画家の顔を持つ。

江別市情報図書館は過去、高澤さんから著書など多数の寄贈を受けていることや、「えべつの歴史」に昨年まで八年間、祖父の代に富山県から江別屯田公有地に入植した歴史を寄稿していたことから、市民にあらためて紹介したいと今回の展示を企画した。

二〇一七年に著書『深田久弥と北海道の山』（白山書房）を出すなど親交深い深田さんとの山行や写真や色紙が目立つ。坂本直行晩年のヒマラヤ旅行記など埋もれた文書をまとめ「チョッコウさんへの恩返し」として没後三〇年の二〇一一年に出版した『はるかなるヒマラヤ　自伝と紀行』も目を引く。

全国岳人憧れの名品「門田ピッケル」も愛用して展示。戦前から札幌で製造されていたが一九八〇年代に廃業した。販売代理店の秀岳荘の刻印が押されている。「愛用しすぎて鋼の部分が半分にすり減った」。

高澤さんは「江別で創業したみそ製造業岩田醸造が一九五六年に創刊した広報誌『紅』に山紀行を投稿したことや開拓農家として亜麻栽培や石狩川洪水に立ち向かった。そうした江別とのかかわりも知ってもらえたらうれしい」と報じられた。

若くして過労で自然気胸を患い老いて再発

私は昭和二六年四月に丸善㈱札幌支店に入社、担当は和書仕入係。二年後に外国雑誌係が発足し、英語はできないが、珠算が得意なので一人で担当することになった。

業務は世界各国の雑誌を、一年間を前金予約で受注し直送。全道の大学、病院、企業などに訪問販売。大学や官庁は着払いなので、何度も訪れて到着冊数で単価を割り出し（ソロバンで計算、私は札幌経済高等学校卒業で珠算は二級、準初段）て請求。

九月から一一月は年間契約期間で多忙。受注誌を一誌ずつタイプライターで直送先を入力し東京本社に送付。毎日、夜中まで仕事を続け、休日は休まずに出勤していた。

この過労で昭和三〇年一二月中旬、急に呼吸困難となり札幌医科大学付属病院に入院。突発性自然気胸と診断された。息を深く吸うと肺から空気が抜け、背中に溜まり呼吸する度に痛さを感じる。

医学事典によると、「肺の嚢胞が破れて胸膜に穴が空く、二〇～三〇歳の若い男性に多い病気」とある。

当時の治療法は、太い注射器で空気を抜くために胸部に注し、ローソクの火で注射器を温め、その温度差で空気を抜き取るのである。穴はすぐ塞がり完治したが、正月なので一月中旬に退院した。

丸善入社時に、仲間で山岳会を創設し登山に熱中していた。昭和三二年八月に大雪山旭岳から黒岳まで縦走中、雨が降っていたが、当時、流行っていた「雪山賛歌」（詞・西堀栄三郎、アメリカ民謡）二番に「煙の小屋でも黄金の御殿　早く行こうよ谷間の小屋へテントの中でも月見ができる　雨が降ったらぬれればいいさ」。この「雨が降ったらぬれればいいさ」に触発され濡れながら歩いた。黒岳を下山し、JR上川駅で乗車した途端「突発性自然気胸」が再発した。下山後、すぐに入院し一週間で退院した。その後は山に登らずに、スケッチブックを持参しながら山麓で水彩画を描いていた。それも六〇年に作家・深田久弥氏が来道し、同行登山を続けた。

平成二八年二月、風邪で咳が止まらず呼吸困難となり、白石区栄通三丁目の札幌呼吸器外科病院に二週間入院。退院後は気道の炎症を抑える吸入ステロイド薬と長時間気管支拡張薬の「シムビコート・タビュヘイラー」を食事前に吸入して嗽。また、時々、心電図やレントゲンを撮ってもらい、安否を気遣っている。

若い頃の「心筋梗塞」再発なので大丈夫でしょうと診断された。事典で「心筋梗塞」を調べると「心臓死の五〇％以上が心筋梗塞に関係し、冠状動脈の硬化によって血管内が狭くなり、酸素や栄養分が補給できなくなって壊死する。予防として身体を動かすこと」とある。

病院に通うには地下鉄白石駅までバスで行き、そこには東札幌から北広島市までサイクリングロードがあるので、病院まで約一キロ余を、ストックを突きながらの運動である。

歩きながら高齢の余生を送っている。

戦後、大学・短大新設ブームで多忙だった

昭和二四年一二月一五日に私立学校法が公布され、翌年から北海道各地で大学・短期大学が新設され図書販売で多忙だった。

大学を新設するには、建物、教員、図書の三要素が揃わなければ設立出来ない。文部省に申請する書類は事前に入手し、設立準備をしている創設者や理事長に渡していた。当時、私は丸善㈱札幌支店書籍販売課勧誘係を担当、常に新しい販売方法を考案しながら売上を増やしていった。

幸い昭和二四年に私立学校法が公布され、その業務に専念することになる。翌二五年三月に文部省から認定されたのは酪農学園短大、藤女子短大、天使女子短大、札幌短大。翌二六年には北星学園女子短大。二七年に北海学園大、北海道自動車短大、函館短大であった。以降、昭和五三年までには札幌大学、旭川大学など大学一五校。短期大学は北海道栄養短大、静修短大など二四校がある。

図書を販売するには、事前に各大学の専門分野を調査。大変なのは納本後の図書整理である。図書室横の蔵書庫には鉄板製の書棚を並べ、図書には全て大学の蔵書印を捺印、図書カードに一枚一枚記入。そして背面にラベルを張る。これがまた専門知識を要する。ラベルは三段で、一段に日本十進分類法にあてはまる番号、二段目に著者または書名の頭文字を入れ、三段目は同じ書名で一冊以上あるときに、上・下巻、全集の番号を記入。

これをもとに、日本山書の会発行の会誌で「北の山と人」などの特集を3回、北海道撮影社発行の山岳雑誌「北の山脈」で、「北海道登山小史」の連載を27回続けました。

しかし、一般大衆の山登りを対象とせず、一部のエリート登山に偏った年表との批判を受けてしまいました。確かにそうした視点が欠落していました。その反省を踏まえて、以降、各地の山岳会、図書館や出版社のほか、古本屋や国土地理院に通って山岳会の報告書や文献、多くの岳人からの情報を突き合わせ、山やルートの初踏査、初登頂の記録の修正を重ねて92年（平成4年）、2005年（同17年）、12年（同24年）と改訂増補版を出しました。

最新版の12年の年表（北海道出版企画センター刊）では、1871年（明治4年）から2012年までの登山史をまとめています。

登山史を調べることで、遭難の歴史も見えてきます。山の遭難に共通すると思うのですが、厳しい自然を相手に、いろいろな意味で、登山する側の認識不足があると感じています。

登山史研究を本格化させた昭和40年代は、大学も山岳会も無雪期、積雪期ともに、日高山脈を中心に初登攀《とうはん》、初踏査を競う時代がまだ続いていました。

記録がまだないルートを登攀したり、踏査することは、登山でも最も面白いところです。

、登山道が少なく、積雪期の雪稜《せつりょう》が厳しい日高山脈はこうした奥深さがありました。国

も遅くまで競い合いがあった山域です。

べていたことがきっかけとなり、1995年（平成7年）、倶知安郷土研究会か

図書館司書を採用していれば良いが、不在の場合は文部省審査官が秋に調査に来られる前に終えねばと、毎晩徹夜で作業を続けていた。当時、英文タイプライターが必要であり、書棚、図書と共に相当額の売上となり、残業代も多額を得ていた。

私が設立に携わった札幌大学には、学内に丸善売店を設け、教員たちの専門書の販売と生徒たちの教科書を販売。また、昭和四三年に旭川大学が新設されたので、旭川市内に丸善旭川出張所を設けた。

さて、多くの大学新設に携わってきたが、大変お世話になったのは鶴岡トシ様で、北海道栄養短期大学創設で大変お世話になっていた。当時を追想するに相応しい、佐々木ゆり著『北海道・栄養学校の母　鶴岡トシ物語』が平成三一年四月に・ビジネス社、四六判、二〇六頁が発行され、表紙帯に「北の食卓を拓く！　戦時中に私財をなげうって北海道女子栄養学校（現・北海道文教大学）を創設した明治女のパワフルな人生記」とある。

巻末の「年表」によると、昭和三八年一月北海道栄養学校を「北海道栄養短期大学」に昇格。場所は札幌市南区藤の沢、石山通を左折し山道を登った場所に学校法人鶴岡学園として藤の沢女子高校、短期大学を建設。当時は多額の借金で新聞代も払えなかった。

創設者の鶴岡トシ（一八八六～一九七八）は教育功労者でアカデミア賞、勲四等瑞宝賞、北海道開拓功労賞などを受賞している。

平成一一年四月に恵庭市のＪＲ駅北口近くに北海道文教大学として、大学会館、二・三号館、図書館、体育館などを施工。二七年に大学院課程を新設された。

登山史研究家　高澤光雄さん　私のなかの歴史　北の山を歩む

北海道新聞社編集局　黒川伸一編集委員取材

①本づくり　墓石代わりに刊行したい

私にとって本格的な山の本づくりのきっかけとなったのは、北海道の登山史研究です。

道内では、断片的な登山史はあったけれど、総括的な登山史をまとめた年表類はなかった。

歴史を知ることが今の山登りにつながるという思いが強くあり、そのような年表の必要性を痛感していました。

１９６７年（昭和42年）に日本山書《さんしょ》の会に入り、各地での登山史研究に触発されました。

道内では、松浦武四郎の蝦夷地《えぞち》探検の一連の書誌類や開拓使が雇った外国人らの鉱脈測量、北大のスキー部や山岳部などの創設以来の記録類を対象と考え、72年（同47年）、「北海道登山史年表」を仕上げたのです。

これまで世に出してきた本を前に語る私＝札幌市内の自宅

これをもとに、日本山書の会発行の会誌で「北の山と人」などの特集を3回、北海道撮影社発行の山岳雑誌「北の山脈」で、「北海道登山小史」の連載を27回続けました。

しかし、一般大衆の山登りを対象とせず、一部のエリート登山に偏った年表との批判を受けてしまいました。確かにそうした視点が欠落していました。

その反省を踏まえて、以降、各地の山岳会、図書館や出版社のほか、古本屋や国土地理院に通って、山岳会の報告書や文献、多くの岳人からの情報を突き合わせ、山やルートの初踏査、初登頂の記録の修正を重ねて92年（平成4年）、2005年（同17年）、12年（同24年）と改訂増補版を出しました。

最新版の12年の年表（北海道出版企画センター刊）では、1871年（明治4年）から2012年までの登山史をまとめています。

登山史を調べることで、遭難の歴史も見えてきます。山の遭難に共通すると思うのですが、厳しい自然を相手に、いろいろな意味で、登山する側の認識不足があると感じています。

登山史研究を本格化させた昭和40年代は、大学も山岳会も無雪期、積雪期ともに、日高山脈を中心に初登攀《とうはん》、初踏査を競う時代がまだ続いていました。

記録がまだないルートを登攀したり、踏査することは、登山でも最も面白いところです。

特に、登山道が少なく、積雪期の雪稜《せつりょう》が厳しい日高山脈はこうした奥深さがありました。国内でも最も遅くまで競い合いがあった山域です。

登山史を調べていたことがきっかけとなり、1995年（平成7年）、倶知安郷土研究会から「羊蹄山登山史」を発行したのですが、これが自分にとって最初の本となりました。その後も、道内外の山や登山、岳人らを素材にした執筆機会に恵まれ、世に出した図書は、自身の著作本が7冊、編さんした編集本が21冊になります。

多くが登山史研究から派生した書籍です。現在あと2冊、出版準備を進めています。私にとって、山の本は、墓石代わりでしょうか。いい本を残したい。

②疑似遭難　苦い体験がその後生きる

現在の江別市郊外、石狩川沿いの農家の9人きょうだいの三男坊として生まれました。戦争が始まると、父親は農業を諦め、勤め人として白石村（現在の札幌市白石区）に転居します。私が9歳の時で、やがてここで終戦を迎えました。

終戦の翌年、白石国民学校高等科2年の遠足で、札幌・円山に登ったのが山登りとの出会いでした。山頂に立ったのは私が先頭でした。その時、漠然と、「山っていいなあ」と思ったことがその後の山人生につながっているかもしれません。

札幌経済高（立命館慶祥高の前身）2年の1949年、山好きな担任に連れられ、同級生6人で空沼岳から札幌岳に縦走したのが最初の本格的な登山でした。

山中、縦走のほぼ中間地点にある北大の空沼小屋に泊まりました。小屋の前でたき火をして、歌って、踊って、騒ぎました。楽しい時間を過ごし、すっかり山が好きになりました。

その後も羊蹄山などで自信を深めたのでしょう。高3の夏休み、この山好きの6人で、初めての大雪山系に挑みました。仲間の兄のテントを借りて、旭岳から黒岳までの縦走を目指しました。札幌から旭川を経て、旭川電気軌道の電車、さらにバスと徒歩で山に入りました。松山温泉（現在の天人峡温泉）に向かう途中、忠別川の橋下で幕営したのですが、豪雨の影響で夜中に増水し、流される寸前の際どい経験をしました。

登山初心者の6人を見かねて、松山温泉では無料で食事や入浴をさせてくれ、勇駒別温泉（同旭岳温泉）では同じ行程を行く旭川東高の引率教諭に目配りするよう手を回してもらっていたのです。その後、宿の主人や山小屋の管理人さんの温情が身に染みることになります。

大雪山系で疑似遭難を体験した高校の仲間６人で。右から３人目が私＝１９５０年、羊蹄山

旭岳を経由して黒岳に向かう道中、ガスと雨と強風、寒さに見舞われ、空腹と眠気に襲われる中での行軍となりました。3泊4日の山旅は、一歩間違えば遭難しかねない状況でした。同行の旭川東高の引率教諭らの存在は心強く、ふらふらと倒れかけた仲間も救われました。感謝の言葉しかありません。

あの時の疑似遭難体験があればこそ、その後の私の山との関わりがあると思っています。

この時以来、大雪山系の山々への思いはより深くなり、私の登山人生67年間で、この山域には計87回、滞在日数は200日を超えることになりました。

これまでの恩に報いたいとの思いもあって、上川管内東川町に山岳資料施設「大雪山ライブラリー」ができることを知り、集めた山の蔵書や資料を町に寄贈することにしました。

これまでに200冊を送りましたが、最終的には千冊以上になりそうです。大雪山系の拠点として生かしてもらえれば。

③書籍販売　仕事通じた人脈が財産に

高校を卒業したあと、1951年、書籍販売を手がける丸善に入社しました。

最初の職場は札幌支店の和書仕入れ担当で、本社から入荷してくる本箱の梱包《こんぽう》を解いて、納品書と照合して、店売品と外商品などを仕分けする仕事です。

高校時代の登山への思いもあって、就職してからも、定休日の月曜に1人で山に入っていました。多くは、日曜の閉店後に事務所で着替えて、汽車やバスを使っての夜行登山です。

当時、札幌支店には約70人の社員がいました。社員厚生に重きが置かれて余暇活動には現金が支給されたのです。入社翌年、山好きな社員3人に声を掛けて、丸善八脚会という社内山岳会を発足させました。

「四人八脚で」というネーミングです。月2回以上、登山やキャンプなどを企画し、社内に参加を呼びかけました。

多い時は家族も含めて30人以上が参加してくれ、札幌岳など札幌近郊の山に入りました。
活動内容は、頻繁にガリ版刷りの会報を出したり、社内報に寄稿して発表していたのですが、こうした作業がその後の本作りに生きたかもしれません。

仕事の方は、その後、支店内の外国雑誌担当を経て、入社9年目に医学書担当となりました。北大医学部や札幌医大、道内各地の病院に出向き、医学書を売るのです。結果的にこの業務を長く務めることになります。

51歳の時に、東京本社に転勤になり、家族を札幌の自宅に残して4年間、特販グループの部長補佐として、医学書などの販路拡大を担う仕事もしました。

丸善札幌支店２年目、「丸善八脚会」のフラッグを前に＝１９５２年

全50巻、総額１５０万円もする医科学事典を、年間千部販売することがノルマとして課されていました。

つらい作業でもありましたが、水前寺清子さんの「一日一歩三日で三歩。三歩進んで二歩下がる」（「三百六十五歩のマーチ」）や、「東京でだめなら名古屋があるさ。名古屋がだめなら大阪があるさ」（「東京でだめなら」）の歌詞を口ずさみながら奔走して本を売りました。何とかノルマを達成できたのも、山歩きで鍛えた体力、脚力が役に立ちました。今と違って、本が売れたいい時代に恵まれたと思います。

その後札幌支店に戻り、1992年の60歳の定年退職まで、一貫して書籍のセールスに従事しました。

道内各地で、また道外でも、本をPRしたり、売ったりすることを通して、顧客や執筆者とのコミュニケーションは本当に楽しかった。

何よりも。山好きな多くの人と出会ったことが、私にとって大きな財産となりました。本を愛する人々の中に多くの山好きな人がいること、山好きな人の多くが本に喜びを感じていることを痛感したことは、大きかったと感じています。

④深田久弥さん　道内にも足跡を残す

丸善札幌支店で和書の仕入れ担当だった1950年代前半、私は書店人として、久《きゅう》さんこと、深田久弥さん（1903～71年）の名を覚えなければならない立場にありました。

久さんは当時、「知と愛」を出すなど人気作家の一人であり、「鎌倉夫人」「親友」「津軽の野づら」「をちこちの山」などの小説や随想作品で確固とした立場を築きました。

本屋の善しあしは、売れ行きが良い新刊本を常に切らさず陳列しておくかということにあり、人気作家の出版動向には敏感になっていたのです。

58年に山岳文芸誌「アルプ」が創刊し、主要執筆者として久さんが山岳紀行を連載され、多

「日本百名山」取材で訪れた幌尻岳山頂で。左から２人目が深田久弥さん、右端が私＝１９６１年

くの人に勧めて購入してもらいました。

2年後に、久さんは「日本百名山」の利尻山の取材で来道されるのですが、知人からの声かけで私も同行させてもらうことになりました。

これが久さんとの最初の出会いでした。

小樽港から当時運航していた船便で、利尻島に一緒に渡りました。あいにく天気が悪く、礼文島に移動して礼文岳のみの同行となり、休暇の関係で私は先に利尻島を離れました。

翌夏には、やはり百名山取材で日高山脈の幌尻岳登山のため来道した久さんに同行し、楽しい時間を過ごしました。

百名山取材後も暑寒別岳、石狩岳、富良野岳などで同行し、結局、北海道の山では6回7座で久さんと歩きました。

久さんは有名人なのに周囲にそう感じさせることなく、いつもニコニコしていて、穏やかな人でした。道内の山を一緒に歩く中で、すっかり深田ファンになりました。

久さんの「日本百名山」は、朋文堂が出していた月刊山岳誌「山と高原」で59年から4年間、毎月2山ずつ紹介して完結します。その中には幌尻岳など道内の山9座が取り上げられ、北海道で山に関わる者としてうれしかった。

64年、新潮社から書籍として刊行。時間をかけてファンを増やし、その後の百名山ブームを生みました。この著作は、日本人の山の楽しみ方を大きく変えるきっかけになり、功績の大きさを痛感します。

久さんとはその後、日本山岳会の付き合いもあり、思い出は尽きません。しかし、71年に山梨県の茅《かや》ヶ岳登山中に脳卒中で急死され、ショックを受けました。

私は92年、職場を定年退職したのを機に、深田作品の愛好者らでつくる「深田クラブ」に入会し、活動に参加してきました。クラブの会報に登山家としての久さんの足跡などの記事を書き、これまでに計49回、寄稿させてもらいました。

道内での足跡に焦点を当てて、「深田久弥と北海道の山」を11月、白山書房から刊行する予定です。

⑤坂本直行さん　日高をヒマラヤに見立て

「チョッコウさん」のことご存じですか。「六花亭製菓」（帯広市）の包装紙のデザイン、登山用品店「秀岳荘」（札幌市）の命名者、坂本直行《なおゆき》さん（１９０６～82年）のことです。

釧路生まれの才能豊かな画家でした。学生時代は、札幌二中（現札幌西高）で山岳旅行部、北大で草創期の山岳部で、日高山脈などの登山で活躍します。

北大卒業後の29年（昭和4年）、十勝管内広尾町に開拓農民として入植しました。

「雪原の足あと」出版時のサイン会で、坂本直行さん（手前左）と私（後方）＝１９６５年

くわで農地を開拓し、その合間にピッケルで日高山脈の登路を開き、絵筆で開墾や山の光景を描きました。絵入りの随想として、37年（同12年）に「山・原野・牧場」、42年（同17年）に「開墾の記」を出版します。

チョッコウさんは戦後も精力的に描き続け、57年に札幌市内で、初の個展「原野と山岳のスケッチ展」を開いた際、お会いしました。

日高山脈を描いたすばらしい作品が並び、へたながら絵を描いてきた私の心を打ちました。展示販売のスケッチ「山と木の草・野草編」を購入し、恐る恐るサインをお願いしました。

開墾や山での苦労がにじみ出たゴツゴツした風貌は、近寄りがたいところもありましたが、付き合ってみると面倒見のいいやさしい人でした。

その年には、山麓からの光景を描いた画文集「原野から見た山」が出版。以来、毎年札幌で、隔年で東京で個展が開かれるようになり、日高の山々にこだわり続けた生きざま、人柄に魅了されていきました。

チョッコウさんは60年から画業に専念します。2年後にファンの絵画サークル「歩々《ぽっぽ》の会」ができたので入会して、付き合いを深めました。

65年4月に、画文集「雪原の足あと」を出版するのですが、その直前の3月、日高山脈・札内川上流で、北大山岳部の後輩、沢田義一パーティー6人が雪崩遭難で雪に埋まり、捜索費用捻出の目的も加わり、販売増を目指すことになりました。捜索に充てるカンパ集めに開かれた出版記念講演会も盛況なうちに終わりました。

私は書店人としてのノウハウを生かし、何とか3カ月で千冊販売という目標を達成しました。チョッコウさんはこの年の秋、手稲山山麓にアトリエ兼自宅を建てて札幌に転居しました。

幼少時からヒマラヤへの憧れが強かったチョッコウさんでした。しかしその夢を実現できないまま、日高山脈の山麓に入植するのですが、日高の山々をヒマラヤに見立てて、スケッチの題材にしていたのです。

晩年に行ったヒマラヤ旅行記や日高への思いなどチョッコウさんの埋もれた文章をまとめ、没後30年の2011年、「はるかなるヒマラヤ　自伝と紀行」を出版しました。生前の恩返しのためです。

⑥伊藤秀五郎さん　詩情あふれるパイオニア

ヒデさんこと、伊藤秀五郎さん（１９０５〜76年）は、北海道の登山史を飾る登山家です。横浜市内の旧制中学から22年（大正11年）、北大予科に入学すると、スキー部に入部して道内外の山に向き合います。

その前年、槙《まき》有恒（後に初登頂を果たすマナスル日本隊の隊長）がアイガー東山稜《さんりょう》に初登攀《とうはん》したことに刺激をうけて、銭函天狗岳（小樽）や八剣山（札幌）の岩場登攀に励みました。

北海道の山のパイオニア伊藤秀五郎さん＝１９６８年、トムラウシ山（北大山岳館提供）

大正末期以降、慶応大山岳部が毎年のように道内の未知の沢を踏査する中、スキー部では登山の限界を感じたのでしょう。26年にスキー部から分離・独立する形で北大山岳部を創設し、道内の山の登路開拓に拍車がかかりました。

とりわけ、大雪山系や日高山脈などで数々の初登頂、初踏査の記録を残しました。

そんなヒデさんが執筆した「北の山」は、山の名著です。詩情あふれる文章は今読んでも新鮮で、社会人になった当初、私が山にのめり込むことになった愛蔵書でもあります。

この中に収録された「北海道の春」を読んで、札幌近郊の山の光景を素材にした「雪解の頃の北海道の土に、力強い春を感じる」の一節に感動したことを覚えています。

ヒデさんがこの著書で紹介した北海道の山をすべて登ってみたいという衝動に駆られ、当時はまだ登山道のなかった狩場山、暑寒別連峰、日高山脈に通うきっかけにもなりました。

丸善札幌支店で医学書販売を手がけていた当時、生物学者だったヒデさんは北海道教育研究所長を経て札幌医大の教授をされていたので、その後の山を感じた付き合いも含めて接触する機会が多かった。

そんな交友の中で、いろいろな話を聞きました。

北大でスキー部から山岳部をつくった際、スキー部との関係で相当なあつれきを感じていたようで、一時期ノイローゼ気味となり、日高山脈への単独登山に走ったとも話していました。

ヒデさんは登山家の一方で、詩人でもありました。大学時代には札幌詩学協会を設立、詩の同人誌「さとぽろ」を創刊し、詩づくりに力を入れ、150編を超える詩を残しています。

詩情あふれる「北の山」や北大山岳部報などは、文才豊かなヒデさんの影響が大きいです。晩年はがんを患って病床に伏しながらも、私への手紙の中で「北海道登山史」をまとめたいと書いていました。

道内の山岳史を切り開いてきた一人としての自負もあったのだろうと思います。私の登山史研究は、ヒデさんのそんな思いも引き継いでいます。

没後、ヒデさんを慕う仲間が、名著「北の山」を追想した「北の山　続編」や「詩集　山の風物詩」を出版しました。故人もさぞかし喜んだと思います。

⑦札幌山の会　仲間を得て世界を広げる

１９０５年（明治38年）に設立された日本山岳会という全国組織があります。国内で最も古く、最も会員が多い山岳会です。現在は各地に33の支部があり、全国で５千人、道内で１６０人を超える会員がいます。

道内では49年にいったん北海道支部が結成されたのですが、数年で活動が停滞して自然消滅してしまいます。

65年、旧知の作家、久《きゅう》さんこと深田久弥さんが日本山岳会本部で支部を担当する理事に就任します。そして来道して、道内で「日本百名山」取材などで関わりのあった人たちに、熱心に北海道支部の再結成を呼びかけられました。

久さんの意向に報いるためには、支部の構成員となる登山愛好者を増やすことが必要でした。そ

札幌山の会創立メンバー４人で。左から２人目が私。東京転勤を祝って集まってくれた＝１９８１年

のための受け皿となる社会人山岳会を札幌につくろうと、私や北大山岳部ＯＢの新妻徹さんら4人が呼びかけ人となって、68年5月、札幌山の会を設立しました。

先行していた山岳会も参考に、楽しく山に登る組織を目指して愛好者を募ったところ、年末までに115人もの人が入会してくれました。会発足1年後には130人に達し、一気に大所帯の山岳会となりました。久さんには、会の名誉顧問になってもらいました。

創立呼びかけの4人は会の屋台骨となって、私は第3代会長を務めました。

勤め先の丸善札幌支店では、19歳の時、社内山岳会「丸善八脚会」を設立して活動していたわけですが、あくまで社員の親睦団体であり、私にとっては初めての本格的な山岳会でした。

いろいろな職種、山のキャリアを持った人が集まったことで、お互いに大きな刺激を受け、私自身の登山史研究の上でも役立つことになりました。

仲間同士で講習会を開いて、岩登り、沢登り、山スキー、雪稜《せつりょう》登攀《とうはん》など、登山の技術や知識を学ぶ機会を重ね、目指す山もレベルが一気に上がっていったと思います。

本格的な登山を志向する仲間を得て、厳冬期の日高山脈・ソエマツ沢―神居岳南西尾根の未踏ルート踏査などを、記録として残せました。

会の仲間とは山行きを重ねました。やがて自分たちの山小屋を持ちたいという希望が高まりました。札幌山の会の創立30周年の記念事業として、後志管内京極町の羊蹄山山麓に山小屋を建てることになりました。

遭難対策のために積み立てた費用に加え、寄付500万円などもあり総額2千万円と会員らの労力奉仕で、95年秋、羊蹄山の登山口近くで、木造2階建ての小屋「京極山荘」が完成しました。

四季折々、仲間と小屋に集まって貴重な時間を過ごす場ができたことで、山の世界がさらに広がったことは言うまでもありません。

⑧日本山岳会支部　復活支えた先輩忘れない

戦後間もなく設立されたあと数年間で自然消滅していた日本山岳会北海道支部は、久《きゅう》さんこと深田久弥さんの声かけをうけて、ようやく1969年に再発足します。

その趣旨に道内各地から80余人が賛同して集まりました。

支部再発足時から、私は会報や会員への連絡業務の裏方を務めました。副支部長を務めた10年を含め約30年間、支部の運営に関わったことになります。

声かけをしてくれた久さんに何とか応えたいという思いが心の支えでした。

国内で最も歴史ある全国組織の山岳会支部が北海道にないのはおかしい――。再発足に懸命に動いた他の皆さんも同じ思いだったと思います。

多くの登山愛好者の熱い思いが結集しての支部のスタートでした。2003年には支部会員は240人を超えました。

私は、この日本山岳会を通じて、知らない世界にいた多くの岳人とも知り合うことができ、登山史をまとめたり、山の本をつくっていく上でも血となり肉となりました。

支部再発足を語る上で忘れてならない登山家がいます。相川修さん（1909～2000年）です。

カムイエクウチカウシ山の山頂に立つ相川さん（左端）とその右隣の私＝1981年

　設立時には表舞台に出なかったので知らない人も多かったのですが、相川さんは、支部が再発足する上で「陰の功労者」でした。札幌市内の開業医だった相川さん宅で支部づくりの集まりを重ねて設立に至りました。何よりも道内の山岳史を語る上で欠かせない存在なのです。

　相川さんは、北大山岳部草創期、日高山脈の主要な山で、数多くの初踏査の記録を残しています。その活躍ぶりはずばぬけたものがあります。しかし、そんな相川さんにとって終生悔しい思い出になったであろう山があります。

　山脈の最高峰である幌尻岳（2052㍍）に次ぐ2番目に高いカムイエクウチカウシ山（1979㍍）です。

　この山は28年（昭和3年）7月13日、慶応大山岳部が札内川から、登山者として初登頂を果たします。そして1日遅れで北大山岳部の相川さんたちが登頂するのですが、山頂近くに幕営跡があり、たき火の灰がまだ暖かかったそうです。直前に先を越されたことを知り、じだんだを踏むわけです。

そんな因縁の山に、日本山岳会道支部の仲間が、相川さんに山頂を踏んでもらおうと、81年8月に企画しました。当時、72歳だった相川さんは、総勢20人余りに見守られて、半世紀ぶりにこの頂に立ちました。頂上直下で仲間が待ち構え、相川さんに先頭で山頂を踏んでもらったのです。

支部を立て直し、難攻不落の日高の山々の登路開拓に先鞭《せんべん》をつけた大先輩。その労を知る会員らの感謝の思いゆえのことでした。

⑨北海道百名山　愛好家たちの手がかりに

丸善を60歳で定年退職したあと、山ざんまいの日々を過ごしていたころ、北海道の百名山を選ぶ機会を得ました。

1998年2月、道新スポーツの編集担当者から、「北海道の名山100を選んで連載したいので手伝ってほしい」との依頼を受けたのです。

その2年前に同紙で「山は楽しい」という8回の連載を執筆したのが縁でした。「日本百名山」の著者、深田久弥さんとの関係も知っての声かけだったのでしょう。

道内には名前の付いた山が1300近くあります。当初、この中から100座を選ぶのは容易ではないと受け止めました。

登山仲間にも加わってもらい、特定地域に偏ることがないよう気を配り、北海道らしい１００の山を選びました。

道南10座、道央20座、夕張・暑寒別8座、道北8座、日高山脈20座、大雪・十勝21座、道東13座の配分にしました。

そして、初登攀《とうはん》者、バリエーションルートの開拓者、厳冬期登攀者、地元有識者、郷土史家、作家ら、その山に精通した人に執筆を頼みました。登山史研究を通じて深めた人脈も生かして、山ごとにふさわしい筆者を選んだのです。

編集局の一角にデスクを貸してもらい、執筆者とやりとりをしたり、点検したりしながら原稿を仕上げ、紙面化していく作業が続きました。

連載はその年の4月に始まったのですが、結構な人気を博したこともあって、書籍化が早々と決まりました。

連載は2年弱続きましたが、この連載記事を再編集して、連載終了後の２０００年4月、「北海道の百名山」

「北海道百名山」出版をうけて、講演する私＝２０００年

という書名の本を北海道新聞社から刊行しました。

北海道を代表する百の山を厳選した一冊を世に出したことには、登山愛好者に一つの手がかり、足がかりを示した意義があったと思っています。

本は、山岳雑誌や全国紙でも紹介され、版を重ねて約3万部売れるなど、好評を博しました。おかげで、『北海道の百名山』を語る集い」などの講演を各地で5回担当し、道内の山々について語らせてもらったのもいい思い出です。

その後も道新スポーツ紙面で01年1月から1年間、道内の里山を紹介する「ふるさとの山めぐり」の47回の連載も編集者として担当させてもらいました。当初は100山を想定していたのですが、スポーツニュースが増えたため途中で打ち切りとなってしまいました。

結局、こうした連載や書籍の編集作業で、都合4年間、新聞社に出入りさせてもらったことになります。

私にとって、新聞社での作業を通して知り合った人脈や編集ノウハウは、その後の山の本づくりの上で大いに役立ちました。

⑩山岳俳句　現場主義を17文字に凝縮

私は、「三峯《みつお》」という俳号を持っています。

23歳の時、俳人だった丸善の先輩社員の刺激を受けて、名前の光雄になぞらえました。

もっとも当時は本格的な俳句づくりにまでは至らず、雑文でこの俳号をペンネーム代わりに長年使ってきました。

札幌を拠点にした俳句結社「道《どう》」と縁ができ、1999年以降、月刊の俳句誌に毎号、随筆の執筆させてもらっています。これが俳句を学ぶきっかけとなりました。

札幌白石俳句クラブで、山岳俳句を説く私＝2017年８月、札幌・北白石地区センター

「山旅句」という題名で毎月随筆を書く一方、「道」の皆さんと切磋琢磨《せっさたくま》しながら俳句づくりを続けてきました。「山」と「旅」をネタに随筆を書き、同時に俳句を発表しています。

この随筆の連載は、エッセー集「山旅句」（北海道出版企画センター刊）としてこれまでに2冊書籍化し、書店や登山用品店に並んでいます。来年秋には、３冊目を出版予定です。

俳句の方は今、地元の札幌白石俳句クラブで月２回、10人余りの皆さんに、顧問の立場で指導に当たっています。

俳句づくりは現場主義が基本。自分の足で歩いて、見聞きし、そこで感じたことを17文字に凝縮させるのですが、これは登山とすごく合うと思っています。歩きながら一瞬一瞬の感性を切り取る作業は実に面白い。

俳句には、「山岳俳句」という独自の分野があります。かつて、登山家でもあった石橋辰之助（1909〜48年）という俳人が切り開きました。

本格的な登山を素材に、「岩稜」「ザイル」などの登攀《とうはん》や登山の用語が多用され、過酷な自然と向き合い、登高心を赤裸々に詠む俳句の世界です。

年を取ってきて、さすがに今の私には、厳しい山登りが難しくなってきましたが、せめて俳句だけでも山に向き合い、山岳俳句にこだわりたいという思いを捨てていません。

山岳俳句を詠むには山に挑む若い精神力が求められます。若いころから山に向き合ってきた熱い思いを呼び起こしながら、山登りや自然を素材に17文字で表現したいです。

これまでの経験や見聞、登山史研究で身につけた知識も生かして、俳句づくりに励む日々です。俳句を通して、北海道の山の厳しさ、美しさ、すばらしさを多くの人に伝えたい。

私にとって、最初の著書「羊蹄山登山史」が、登山史研究のとっかかりになりました。一時期よく通った思い入れの強い山が蝦夷富士こと、羊蹄山です。

札幌山の会でつくった後志管内京極町の山小屋「京極山荘」がその山麓にあり、この小屋に泊まった時の情景を詠んだ句で締めさせてください。

「蝦夷富士の峰に落ち行く朧月《おぼろづき》」

編集を顧みて

俳句雑誌『道』に「山旅句」を最初に発表したのは平成一一年一〇月号で、早いもので今年の一〇月で連載二四七回を数えます。主題が「山旅句」なので登山と旅行を主体とし、平成二〇年代は世界各国の山に登って連載を続けました。

有難いことにその成果は、江別市情報図書館で令和元年九月二八日から一一月二一日にかけて、「高澤光雄・世界の山を登る」展が開催された。ネパール・ヒマラヤ、米国オレゴン州最高峰フッド山、ブータン・ヒマラヤ、カムチャツカ半島の山、ヨーロッパ・アルプス、カナディアン・ロッキに登ったので、その展示資料として〈記録を発表した書誌類、写真、使用した登山用具〉などを羅列しました。

『道』に「山旅句」を連載するに至った経緯は、札幌で平成三〇年一〇月二一日に開催された「道」全国俳句大会記念講演で、「私の『道』との係わりと人生」と題して講演。この記事は『道』令和元年五月号に、中島春彦氏が七頁にわたって詳記されています。

私は昭和二六年に丸善㈱札幌支店に入社、東京本社勤務を経て平成四年に定年退職。その後、町内会の「会報」編集などを担当、現在は町内会広報部副部長を務めています。

令和元年五月一六日に白石区長より、多年にわたり北白石地区の自治振興に尽力したと表彰状を授与されました。

書物は読んで売る。それが今までの理念でしたが、その頃から「書く」ことに力が入りました。そんな事情もあって私の著書は現在一一冊、編集本は四〇冊を超えています。

いま最も気掛かりなのは、風邪を引かないことです。持病は肺炎で令和元年六月に白石区の札幌呼吸器科病院に一ヵ月再入院してきました。毎日服用しているのは「シムビコート　タービュヘイラー」の吸入薬です。

本書末尾に『北海道新聞』夕刊に「私のなかの歴史　北の山と歩む　登山史研究家　高澤光雄さん」と題して、編集委員の黒川伸一氏が平成二九年一〇月三日から一八日まで一〇回にわたって〈本づくり、書籍販売、深田久弥・坂本直行・伊藤秀五郎の三氏との交流、札幌山の会創設、山岳俳句など〉を掲載され有り難いことです。それを転載させていただき深謝申し上げます。

また、『山旅句』四冊目を編集出版された北海道出版企画センター・野澤緯三男氏に重ね重ね厚く御礼申し上げます。

令和二年九月三〇日

高澤　光雄

高澤　光雄（たかざわ　みつお）

2019年10月23日
日本山岳会北海道支部ルームにて
撮影：畠山廸子

1932年江別町（現江別市）生まれ。丸善㈱札幌支店に勤務し、92年に定年退職。
登山は、高校２年（49年）から始めた。68年に札幌山の会設立に参加し登山に励む。日本山岳会、日本山書の会、日本山岳文化学会などの会員。

著書

『羊蹄山登山史』	倶知安郷土研究会	1995年11月１日
『北海道の登山史探究』	北海道出版企画センター	2011年６月10日
『愉しき山旅』	北海道出版企画センター	2012年４月16日
『北海道登山史年表　1871～2012』	北海道出版企画センター	2012年10月20日
『高澤光雄著作選集』	金沢文圃閣	2013年５月
『山旅句　エッセー集』	北海道出版企画センター	2013年10月27日
『大雪山讃歌』	北海道出版企画センター	2015年５月23日
『随筆集　山旅句』	北海道出版企画センター	2016年10月16日
『北海道の山を登る』	白山書房	2017年６月25日
『深田久弥と北海道の山』	白山書房	2017年11月20日

主な編著書

『北海道の百名山』	北海道新聞社	2000年５月17日
『山の仲間と五十年』	秀岳荘	2005年４月１日
『新日本山岳誌』	ナカニシヤ出版	2005年11月15日
『はるかなる ヒマラヤ』	北海道出版企画センター	2011年７月12日

エッセー集 山旅句〈道文庫 第204号〉

発　行　2020年10月25日
著　者　高　澤　光　雄
発行者　野　澤　緯三男
発行所　北海道出版企画センター
〒001-0018　札幌市北区北18条西6丁目2-47
電　話　011-737-1755　FAX　011-737-4007
振　替　02790-6-16677
URL　http://www.h-ppc.com/
E-mail　hppc186@rose.ocn.ne.jp
印刷所　㈱北海道機関紙印刷所

ISBN978-4-8328-2004-3　C0095